초등 연산의 기준

칸토의 연산

받아올림·내림 있는

(두 자리 수±한 자리 수)

"초등 입학 후 우리 아이가 해야 할 수학은?"

우리 아이가 초등학교에 처음 입학할 때의 모습이 떠오릅니다. 머리도 혼자 감지 못하는 아이가 벌써 초등학생이 되어 많은 아이들과 교실에서 생활한다니 대견스러우면서도 한편으론 '아이가 40분 수업 시간 동안 집중하며 앉아 있을 수 있을까? 소변이라도 보면 어떻게 하지?' 등등 고민이 한가득이었지요.

기대 반 걱정 반으로 하루하루를 보내며 아이는 어느덧 별탈 없이 학교에 잘 적응하는 모습입니다. 걱정이 사라질 즈음 아이는 학교에서 생전 처음 단원 평가라는 시험을 보게 됩니다. 7살 때 100까지 막힘없이 세던 우리 아이라 당연히 100점을 맞았을 거라 생각했지만 아쉽게 한두 개 틀려 옵니다. '실수라고, 다음에 잘하겠지.'라고 넘겨 보지만 100점 맞기는 쉽지 않습니다. 혹시나 해서 "다른 친구들은 어떻게 봤니?"라고 물으면 "누구누구는 100점 맞았어!"라고 자기랑 상관없다는 듯이 무심코 하는 말에 마음이 무너집니다.

아차 싶어 이제부터 친구 엄마들에게 학원, 학습지 등 공부 정보를 수집하며 어떤 선택이 우리 아이에게 최선의 선택일지 갈등과 고민이 시작됩니다. 공부란 것을 제대로 해 보지 못했던 우리 아이는 자기랑 맞지 않는 공부를 부모의 계획에 따르며 어느 순간부터 부모와의 감정싸움이 시작됩니다. 부모님들이 초등 저학년에 많이 겪게 되는 고민거리입니다.

중학교에서 수학을 포기하는 아이들의 상당수가 초등 연산의 기초가 없어서라고 합니다. 자연수, 분수의 사칙연산을 어려워하는 아이들이 정수, 유리수의 사칙연산을 어려워하는 것은 당연합니다.

고등학교에서 수학을 포기하는 아이들의 상당수는 공부하는 습관이 몸에 배어 있지 않아서라고 합니다. 공부 계획을 세우고 공부하는 습관은 학교에서 따로 가르쳐주지 않습니다. 할 줄 아는 아이들만 공부 계획표를 꾸준히 작성하고 실천하지 나머지는 포기합니다. 단시간에 공부습관을 바로잡기는 시간이 너무 부족합니다.

그렇다면 우리 아이가 초등학생 때 해야 할 수학은 무엇일까요?

공부 습관과 수학에 대한 **자신감**을 기르는 것입니다. 그런데 이 둘은 모두 연산 학습으로 잡을 수 있습니다.

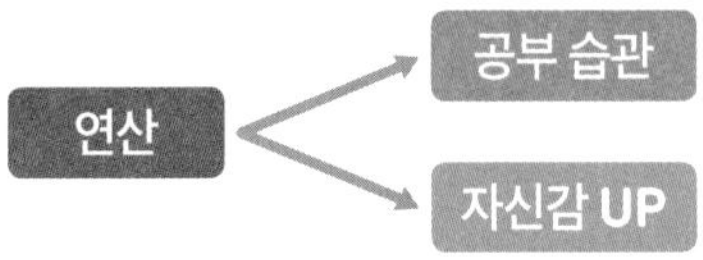

연산은 매일 꾸준히 지치지 않고 하는 것이 핵심입니다. 꾸준한 연산 학습은 연산 실력을 향상시킬 수 있을 뿐만 아니라 앞으로의 공부 습관과 태도를 형성할 수 있는 매우 중요한 학습 방법입니다. 처음에는 개념 위주로 연산의 정확도를 목표로 학습하고 꾸준히 연습하면 속도는 저절로 올라가니 처음부터 속도에 욕심내지 마세요. 그리고 연산 학습과 더불어 공부 시간을 10분, 20분, ……, 60분으로 늘려나가며 공부 체력을 길러 주세요.

연산을 잘하면 무엇이 좋을까요?

수업 시간에 대답도 잘하고 선생님께 칭찬을 받아 자신감이 올라갑니다. 또 아이는 잘하려는 마음이 생겨서 노력하게 되고 성취하게 되며 칭찬을 받게 되는 과정을 되풀이하여 결국 자신감을 넘어 자존감이 올라가게 됩니다.

또한 초등 저학년 수학 내용은 반 이상이 연산이라 연산을 잘하면 저학년 수학을 잘할 수 있습니다. 그리고 도형, 측정과 같은 다른 영역에서 넓이, 부피, 시간, 각도 등을 구할 때에도 연산이 중요하게 사용되므로 결국 수학을 잘한다는 것으로 이어집니다.

초등학교는 대학입시를 준비하는 단계가 아닙니다. 초반부터 무리하게 시작하는 것보다 아이에 맞게 공부 시간과 난이도를 조절해 보세요. 초등 공부 습관과 자신감은 중·고등 시기에 학업 성취를 높여 주는 발판이 될 것입니다. 나아가 하루하루 쌓여 끈기가 되고 인생을 살아가는 지혜가 될 것입니다.

“초등 6년 연산 학년별로 이것만은 꼭 알고 가요.”

학년별로 성취해야 할 연산 내용을 미리 살펴보고, 부족한 부분을 정리해 보세요.

자연수	학년	분수·소수
간단한 덧셈·뺄셈 9+3=12　11−5=6	1	
두 자리 수의 덧셈·뺄셈 65+17=82 73−59=14 곱셈구구 2단 ~ 9단	2	
세 자리 수의 덧셈·뺄셈 257+168=425 614−269=345 두·세 자리 수의 곱셈·나눗셈 24×38=912 258÷4=64…2	3	「분수와 소수의 개념」
세 자리 수의 곱셈·나눗셈 347×52 =18044 724÷26 =27…22	4	분모가 같은 분수의 덧셈·뺄셈 $\frac{3}{5}+\frac{4}{5}=1\frac{2}{5}$ 소수 두 자리 수의 덧셈·뺄셈 2.03+3.78 =5.81
자연수의 혼합 계산 27÷3+(12−4)×5=49	5	분모가 다른 분수의 덧셈·뺄셈 $\frac{3}{4}+\frac{1}{6}=\frac{11}{12}$ 분수·소수의 곱셈 $\frac{2}{3}\times\frac{5}{8}=\frac{5}{12}$ 1.25×1.2=1.5
	6	분수·소수의 나눗셈 $\frac{2}{5}\div\frac{4}{7}=\frac{7}{10}$　9.72÷2.7=3.6

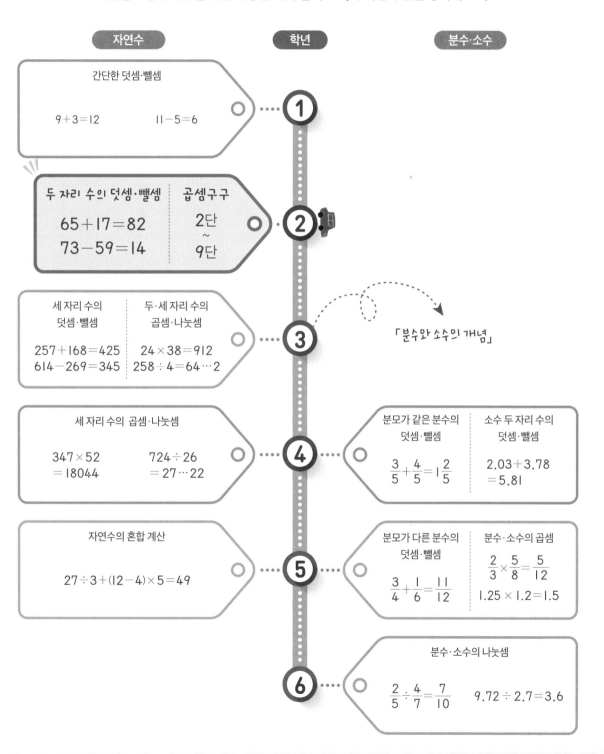

단계별 구성

칸토의 연산 시리즈

- 연산의 원리부터 재미있는 퍼즐형 문제까지 다루는 기본 난이도의 연산 교재
- 나선형 반복 학습과 확장 커리큘럼
- [칸토의 연산] ➡ [응용 연산]으로 이어지는 기본·심화 연산 학습 설계
- 단계별 4권, 9단계 총 36권 구성
- 한 단계 4개월 완성
- 학년별 교과서 진도와 맞춤 병행

이 책의 구성과 특징

• 하루 2쪽, 매주 5일씩 4주 동안 완성하는 연산 프로그램이에요.
• 연령별 아이의 학습 눈높이와 학습 체력에 맞게 쉬운 난이도와 하루 10분 정도의 학습 분량으로 구성하였어요.

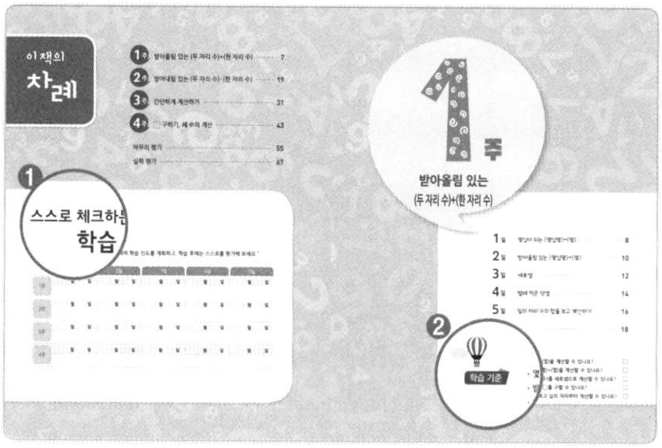

1 학습 안내 무엇을 공부할까요?

❶ 스스로 학습 진도를 계획하고 실천해 보세요.

❷ 이번 주에 꼭 알아야 할 학습 기준을 체크해요.
공부 전에 간단히 살펴보고, 한 주 공부가 끝나면 공부한 내용을 잘 알고 있는지 반드시 확인해 보세요.

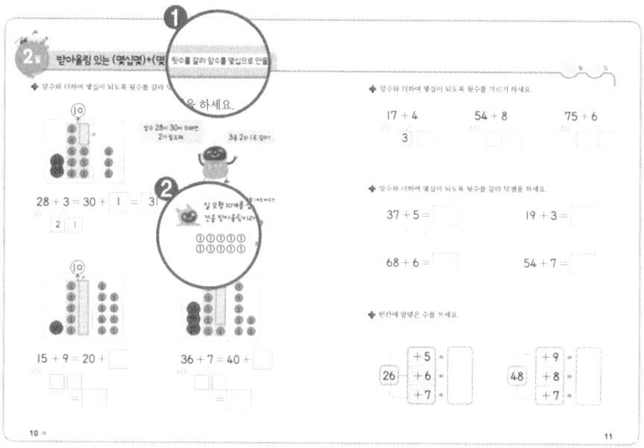

2 일일 학습 매주 5일씩 4주 동안 공부해요.

❶ 일일 학습 목표를 효율적으로 달성하기 위한 학습 목표 및 노하우를 담았어요. 무엇을 공부하는지 미리 알고 가는 공부는 목표 달성률이 훨씬 높답니다.

❷ 연산의 개념, 원리뿐만 아니라 궁금증을 해결할 수 있는 학습 노하우를 꼭 확인하세요.

3 확인 학습

이번 주 배운 내용을 잘 알고 있나요?

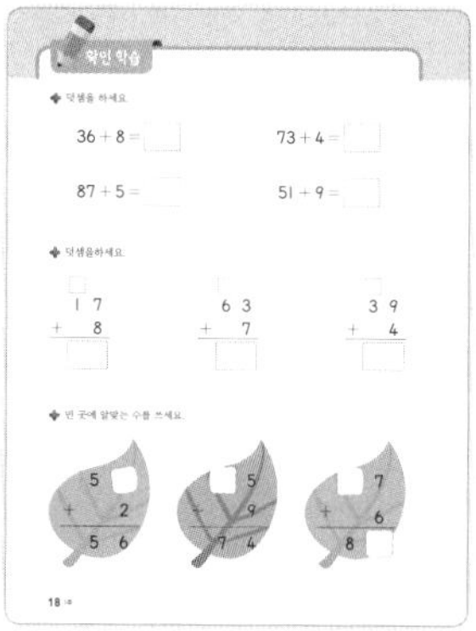

4 마무리 평가+실력 평가

4주 동안 배운 내용을 잘 알고 있나요?

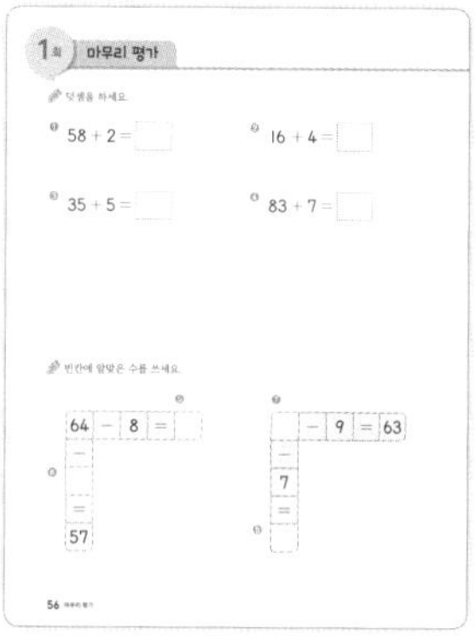

➕

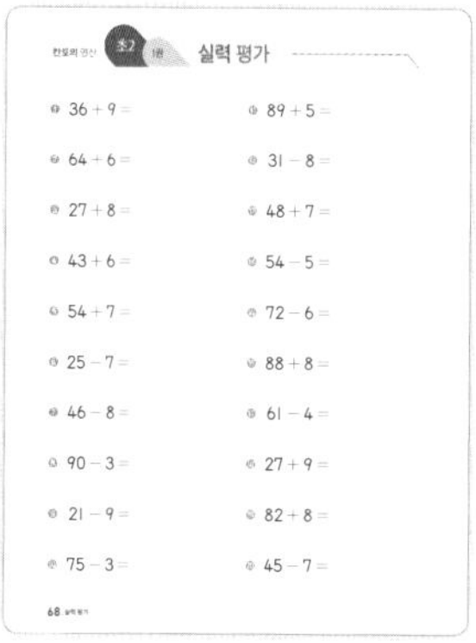

이 책의 차례

스스로 체크하는 학습 진도표

"일일 학습을 시작하기 전에 날짜를 기록하여 학습 진도를 계획하고, 학습 후에는 스스로를 평가해 보세요."

	1일	2일	3일	4일	5일
1주	월 일	월 일	월 일	월 일	월 일
2주	월 일	월 일	월 일	월 일	월 일
3주	월 일	월 일	월 일	월 일	월 일
4주	월 일	월 일	월 일	월 일	월 일

1주

받아올림 있는 (두 자리 수)+(한 자리 수)

학습 기준

- 몇십이 되는 (몇십몇)+(몇)을 계산할 수 있나요? □
- 받아올림이 있는 (몇십몇)+(몇)을 계산할 수 있나요? □
- (두 자리 수)+(한 자리 수)를 세로셈으로 계산할 수 있나요? □
- □가 있는 덧셈식에서 □를 구할 수 있나요? □
- 일의 자리 수의 합을 보고 십의 자리부터 계산할 수 있나요? □

몇십이 되는 (몇십몇)+(몇) 일의 자리 수의 합이 10이면 십의 자리로 받아올림 해.

✚ 동전을 보고 덧셈을 하세요.

1원짜리 10개는 10원짜리 1개와 같아. 따라서 20원과 10원을 더하니까 30원이야.

$$26 + 4 = \boxed{30}$$

$$53 + 7 = \boxed{}$$

$$35 + 5 = \boxed{}$$

✚ 덧셈을 하세요.

$$48 + 2 = \boxed{}$$

$$71 + 9 = \boxed{}$$

$$17 + 3 = \boxed{}$$

$$64 + 6 = \boxed{}$$

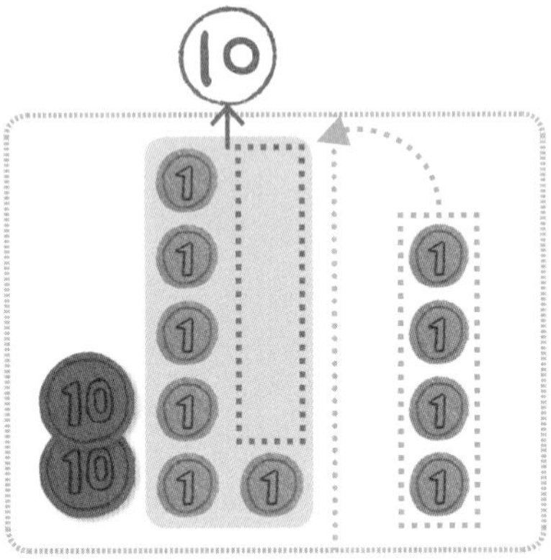

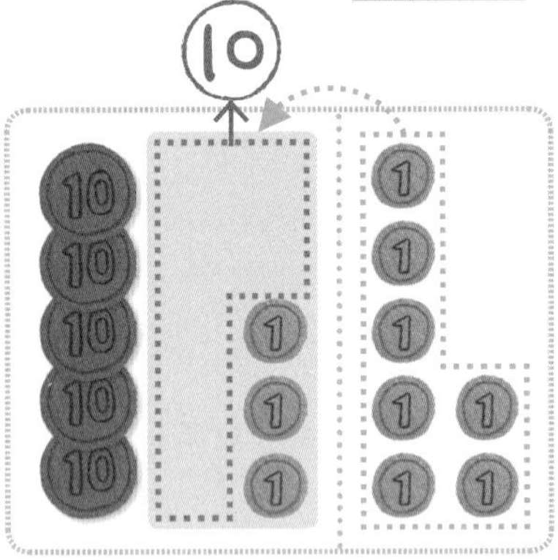

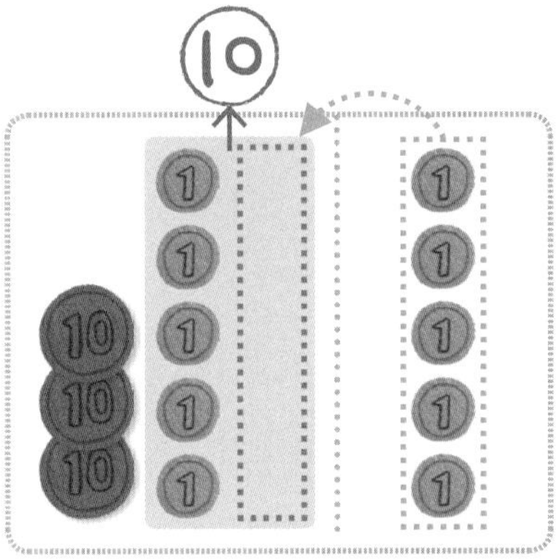

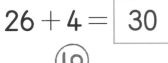

✚ 합이 가운데 수가 되는 두 수를 찾아 색칠하세요.

화살 2개를 쏴서
두 수를 맞혀야 해.

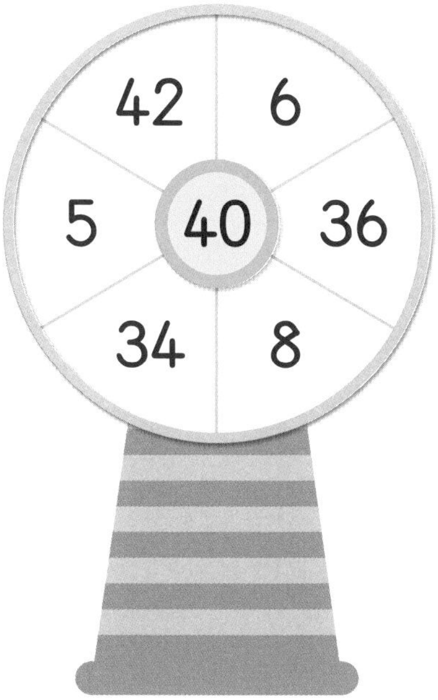

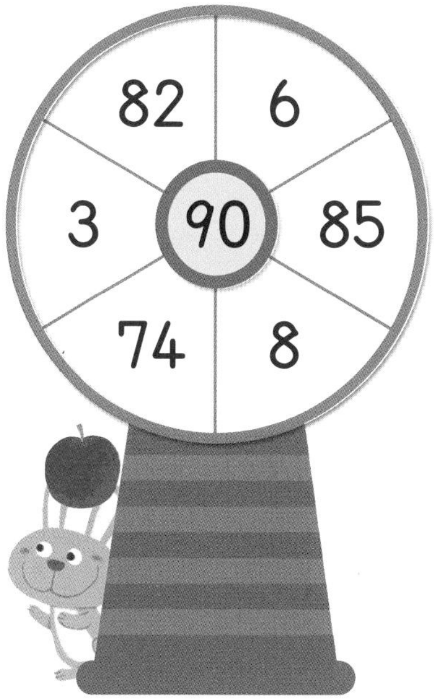

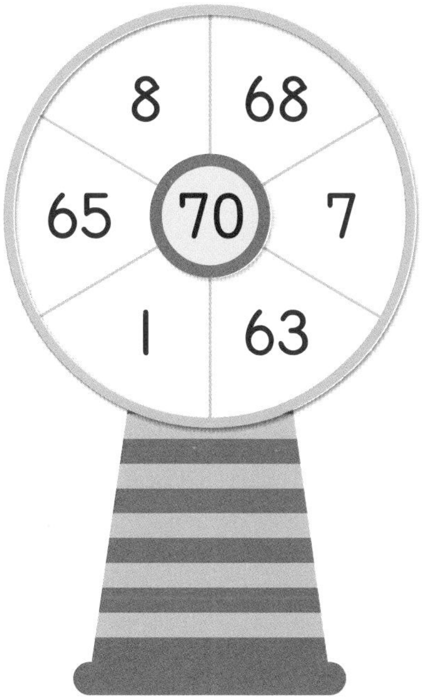

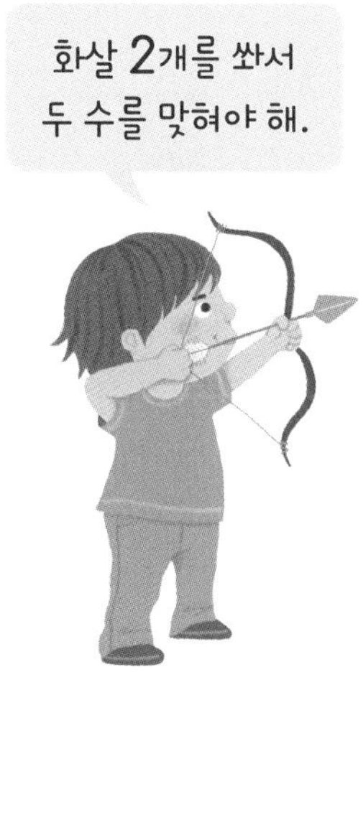

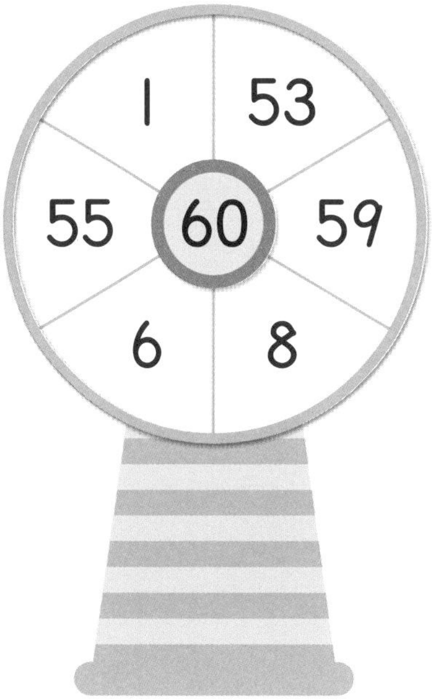

2일 받아올림 있는 (몇십몇)+(몇) 뒷수를 갈라 앞수를 몇십으로 만들어 더해 볼까?

➕ 앞수와 더하여 몇십이 되도록 뒷수를 갈라 덧셈을 하세요.

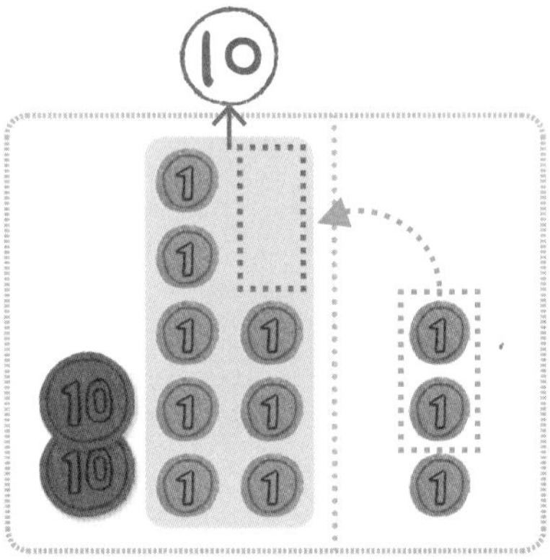

앞수 28이 30이 되려면 2가 필요해.

3을 2와 1로 갈라!

일 모형 10개를 십 모형 1개로 바꾸는 것을 받아올림이라고 해.

① ① ① ① ①
① ① ① ① ① ➡ ⑩

$$28 + 3 = 30 + \boxed{1} = \boxed{31}$$

30

$\boxed{2}$ $\boxed{1}$

$$15 + 9 = 20 + \boxed{}$$

20

$\boxed{}$ $\boxed{}$

$$= \boxed{}$$

$$36 + 7 = 40 + \boxed{}$$

40

$\boxed{}$ $\boxed{}$

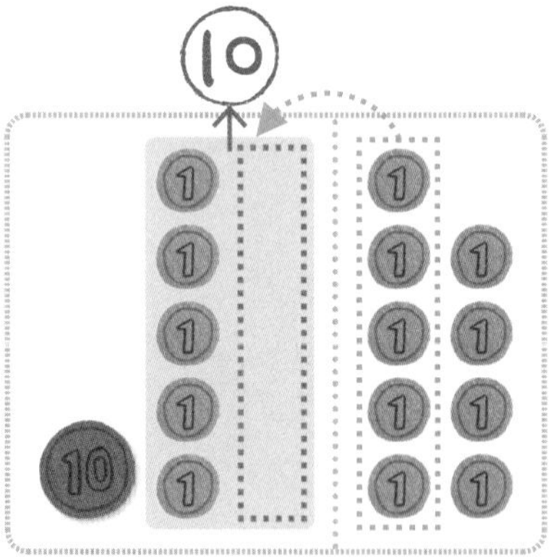

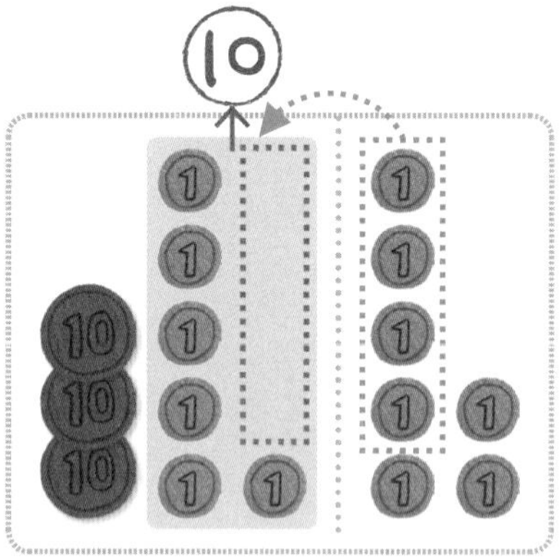

✚ 앞수와 더하여 몇십이 되도록 뒷수를 가르기 하세요.

17 + 4
20
3 □

54 + 8
60
□ □

75 + 6
80
□ □

✚ 앞수와 더하여 몇십이 되도록 뒷수를 갈라 덧셈을 하세요.

37 + 5 = □
3 2

19 + 3 = □

68 + 6 = □

54 + 7 = □

✚ 빈칸에 알맞은 수를 쓰세요.

26		
	+5	□
	+6	□
	+7	□

48		
	+9	□
	+8	□
	+7	□

세로셈 세로로 자릿수를 맞추어 더해 봐. 답이 한눈에 보이지 않니?

➕ 세로셈으로 덧셈을 하세요.

```
    2 6
  +   9
  ┌─────┐
  │     │
  └─────┘
```
➡
```
  1
    2 6
  +   9
  ┌─────┐
  │   5 │
  └─────┘
```
➡
```
  1
    2 6
  +   9
  ┌─────┐
  │ 3 5 │
  └─────┘
```

① 일의 자리 수끼리의 합이
10이거나 10보다 크면
십의 자리로 1을 받아올림해요.

② 받아올림한 수를
십의 자리 수와 더해요.

자리를 맞추면
계산이 쉬워.

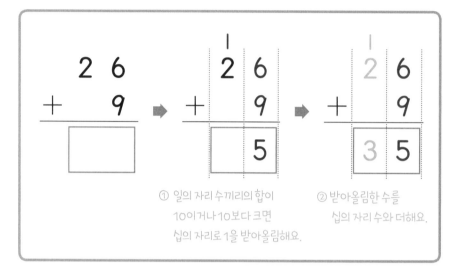

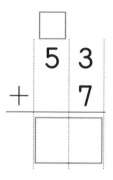

나도 더해야 해.

```
 1
   6 4
 +   8
 ┌─────┐
 │     │
 └─────┘
```

```
 □
   3 9
 +   4
 ┌─────┐
 │     │
 └─────┘
```

```
 □
   5 3
 +   7
 ┌─────┐
 │     │
 └─────┘
```

받아올림한 수1도 꼭 더해야해.

```
 1
   2 7
 +   4
 ─────
   2 1  (✕)
```
```
 1
   2 7
 +   4
 ─────
   3 1  (○)
```

```
   7 5
 +   8
 ─────
```

```
   4 6
 +   6
 ─────
```

```
   8 7
 ─────
```

✚ 선으로 이어진 두 수의 합을 아래에 쓰세요.

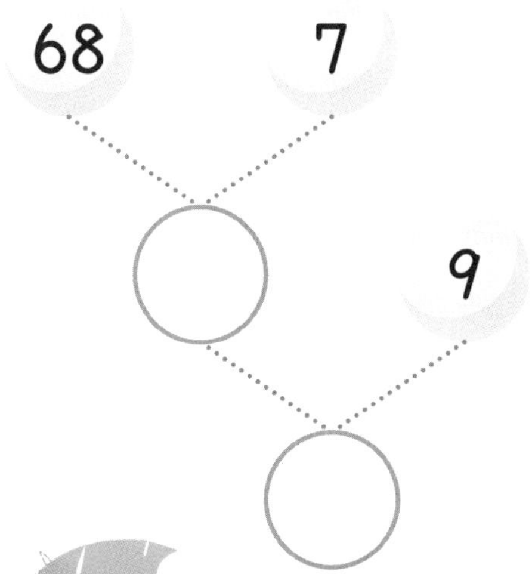

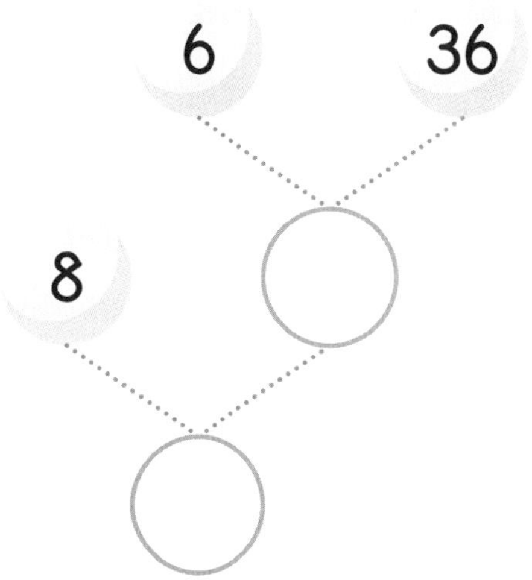

✚ 계산에서 잘못된 곳을 찾아 ╳표 하고 바르게 고치세요.

72 + 8

$$\begin{array}{rr} & 7\ 2 \\ + & 8 \\ \hline & 7\ 0 \end{array}$$

35 + 6

$$\begin{array}{rl} & 3\ 5 \\ + & 6\ \ \\ \hline & 9\ 5 \end{array}$$

48 + 7

$$\begin{array}{rr} & 4\ 8 \\ + & 7 \\ \hline & 5\ 4 \end{array}$$

벌레 먹은 덧셈 세로식과 가로식에서 없어진 수 ☐를 찾아봐.

➕ 빈 곳에 알맞은 수를 쓰세요.

숫자는 맛있어.

```
  2 1
+   □
-----
  2 5
```

```
  4 □
+   7
-----
  5 6
```

```
  □ 9
+   5
-----
  7 4
```

이번에는 2개 먹었어.

```
  8 □
+   6
-----
  9 2
```

```
  3 8
+   □
-----
  □ 7
```

```
  7 □
+   5
-----
  □ 6
```

```
  □ 6
+   8
-----
  3 □
```

```
  7 □
+   □
-----
```

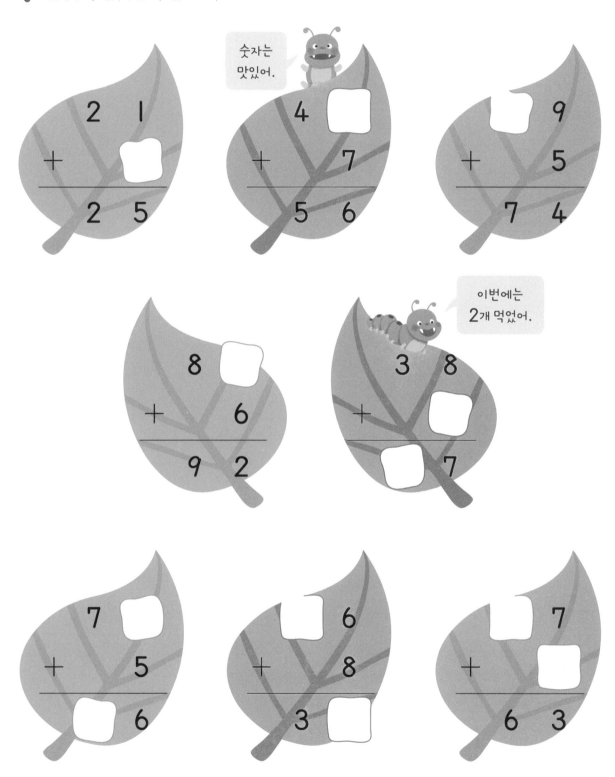

➕ 빈칸에 알맞은 수를 쓰세요.

$$65 + \boxed{} = 73 \qquad \boxed{}8 + 4 = 32$$

$$\boxed{}6 + 9 = 4\boxed{} \qquad 4\boxed{} + 6 = \boxed{}3$$

□가 있는 가로식은 □가 있는 세로식으로 바꾸면 쉬워.

$$4\boxed{} + 7 = \boxed{}2 \quad \Rightarrow \quad \begin{array}{r} 4\boxed{} \\ + 7 \\ \hline \boxed{}2 \end{array}$$

➕ 수 카드 3장을 한 번씩 모두 사용하여 세로식을 완성하세요.

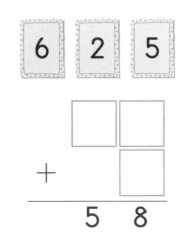

5   3   7

$$\begin{array}{r} \boxed{}\boxed{} \\ + \boxed{} \\ \hline 4 \quad 2 \end{array}$$

6   2   5

$$\begin{array}{r} \boxed{}\boxed{} \\ + \boxed{} \\ \hline 5 \quad 8 \end{array}$$

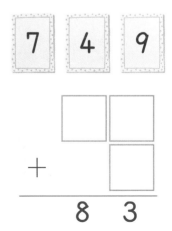

7   4   9

$$\begin{array}{r} \boxed{}\boxed{} \\ + \boxed{} \\ \hline 8 \quad 3 \end{array}$$

5일 일의 자리 수의 합을 보고 계산하기

이번에는 십의 자리부터 답을 써 보자.

✚ 일의 자리 수의 합을 보고 십의 자리부터 계산을 하세요.

일의 자리 수의 합이 10보다 작은 경우	일의 자리 수의 합이 10 또는 10보다 큰 경우
① 그대로 $42 + 5 = 47$ ② $2 + 5$의 일의 자리 수	① $5 + 1$ $59 + 4 = 63$ ② $9 + 4$의 일의 자리 수

① ②

$46 + 7 = \square$

① ②

$35 + 3 = \square$

$74 + 6 = \square$

$62 + 9 = \square$

$82 + 5 = \square$

$26 + 8 = \square$

$33 + 6 = \square$

$68 + 4 = \square$

✚ 올바른 계산 결과를 따라 알맞은 길을 그리세요.

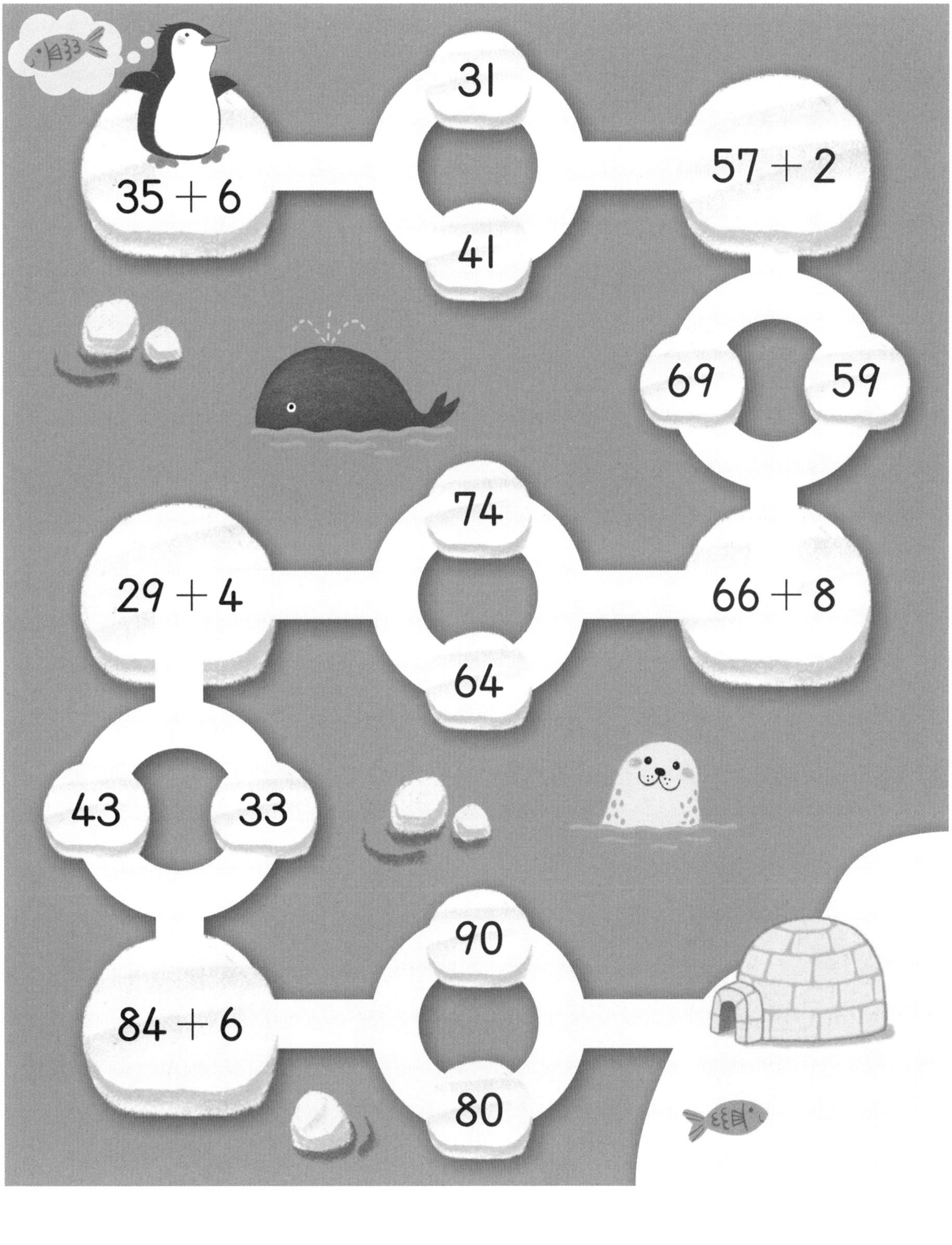

➕ 덧셈을 하세요.

$$36 + 8 = \boxed{}$$ $$73 + 4 = \boxed{}$$

$$87 + 5 = \boxed{}$$ $$51 + 9 = \boxed{}$$

➕ 덧셈을하세요.

$$\boxed{}$$
$$\begin{array}{r} 1\ 7 \\ +\quad 8 \\ \hline \boxed{} \end{array}$$

$$\boxed{}$$
$$\begin{array}{r} 6\ 3 \\ +\quad 7 \\ \hline \boxed{} \end{array}$$

$$\boxed{}$$
$$\begin{array}{r} 3\ 9 \\ +\quad 4 \\ \hline \boxed{} \end{array}$$

➕ 빈 곳에 알맞는 수를 쓰세요.

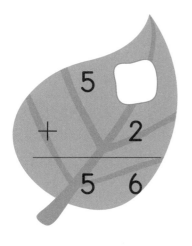

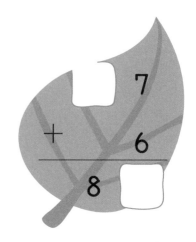

2주

받아내림 있는 (두 자리 수)-(한 자리 수)

학습 기준

- (몇십)-(몇)을 계산할 수 있나요? □
- 받아내림이 있는 (몇십몇)-(몇)을 계산할 수 있나요? □
- (두 자리 수)-(한 자리 수)를 세로셈으로 계산할 수 있나요? □
- □가 있는 뺄셈식에서 □를 구할 수 있나요? □
- 일의 자리 수의 크기를 비교하여 십의 자리부터 계산할 수 있나요? □

1일 (몇십)-(몇)

일의 자리 수끼리 뺄 수 없으면 십의 자리에서 10을 받아내려 빼.

➕ 동전을 /으로 지워 뺄셈을 하세요.

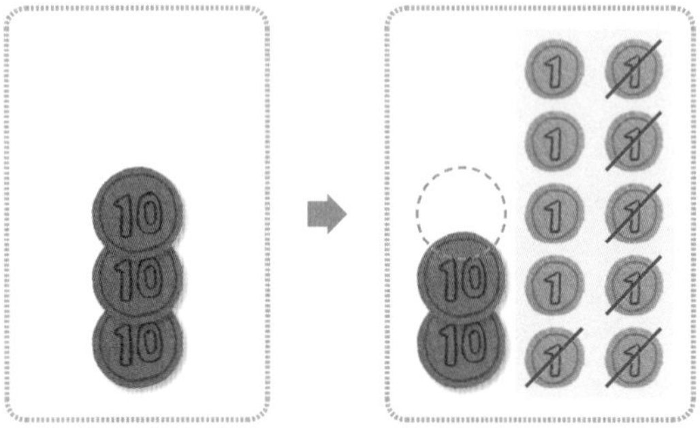

$$30 - 6 = \boxed{24}$$

10원짜리 1개는
1원짜리 10개로
바꿀 수 있어.

10원에서 6원을
뺀 후 나머지 20원을
더하면 24원이야.

십 모형 1개를 일 모형 10개로 바꾸는
것을 받아내림이라고 해.

⑩ ➡ ① ① ① ① ①
       ① ① ① ① ①

$$20 - 3 = \boxed{}$$

$$50 - 7 = \boxed{}$$

➕ 앞수를 몇십과 10으로 갈라 뺄셈을 하세요.

$$40 - 8 = \boxed{}$$

30　10　　2

$$50 - 2 = \boxed{}$$

$$60 - 4 = \boxed{}$$

50　10　　6

$$80 - 5 = \boxed{}$$

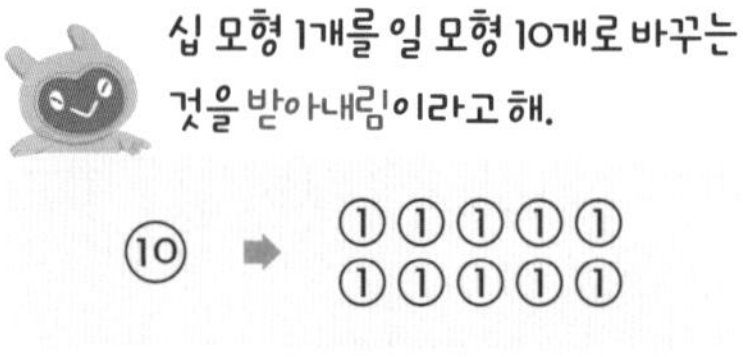

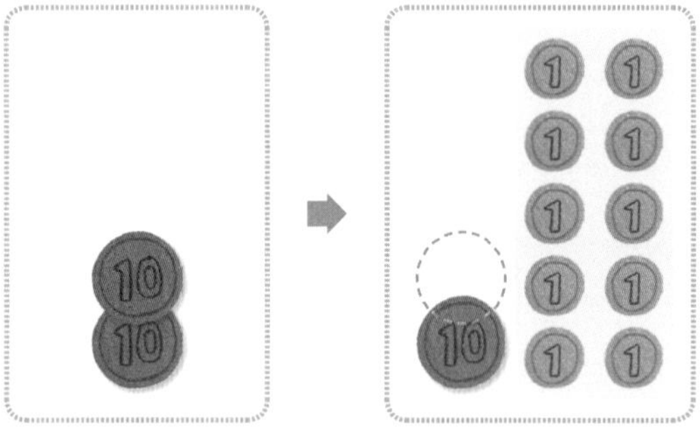

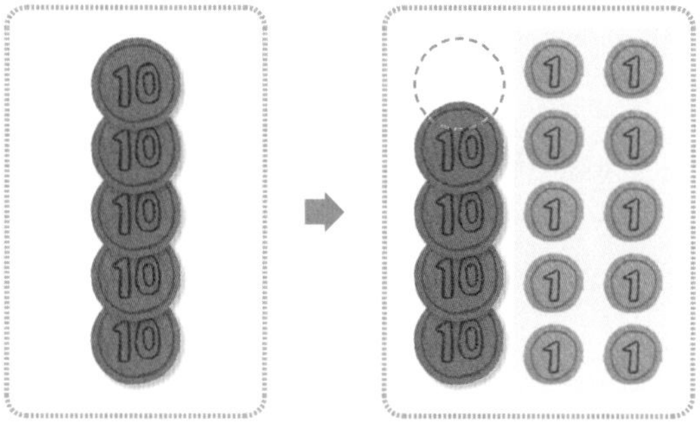

빈칸에 알맞은 수를 쓰세요.

일의 자리 수가
0인 뺄셈이야.

20	−	5	=	
−				
9				
=				
11				

0에서 뺄 수 없으니까
받아내림한
10에서 빼야 해.

70	−	8	=	
−				
4				
=				

십의 자리 수는
1 작아져.

40	−		=	31
−				
=				
38				

	−	4	=	56
−				
7				
=				

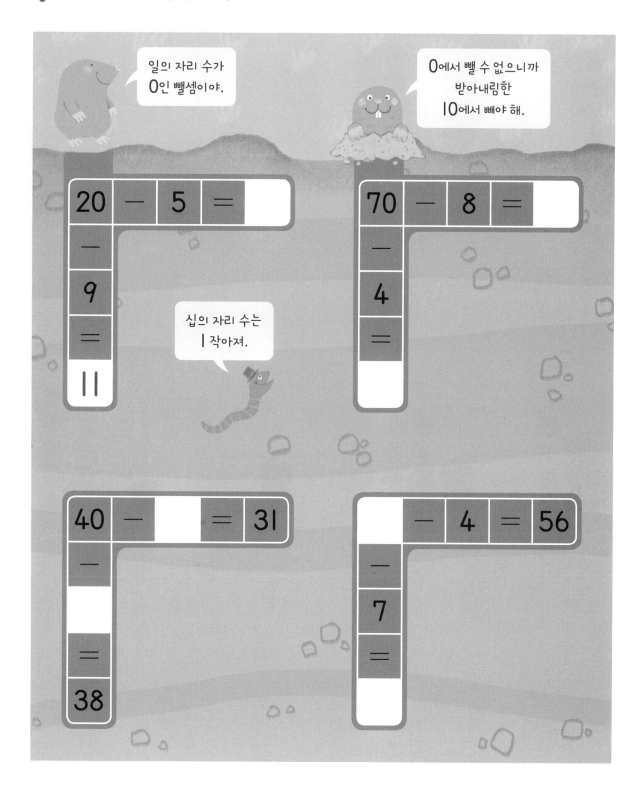

받아내림 있는 (몇십몇)-(몇)

이번에도 일의 자리에서 뺄 수 없어.
앞수를 10과 어떤 수로 가른 후 10에서 뒷수를 빼.

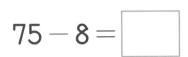

앞수를 몇십몇과 10으로 갈라 뺄셈을 하세요.

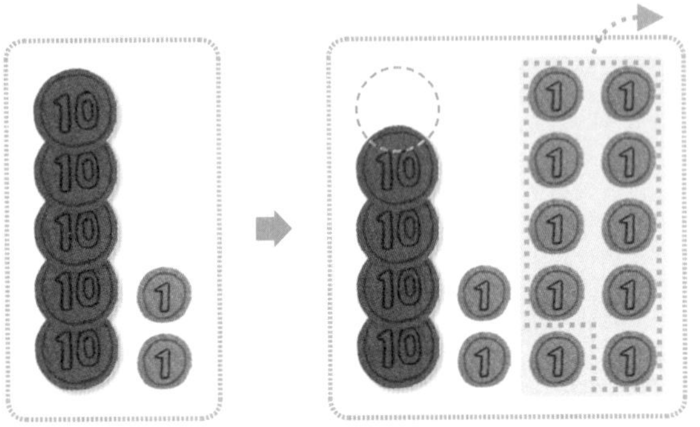

52를 10과 42로 가른 후 10에서 9를 빼.

10에서 9를 뺀 수와 나머지 가른 수 42를 더해.

52 − 9 = [43]
1
[42] [10]

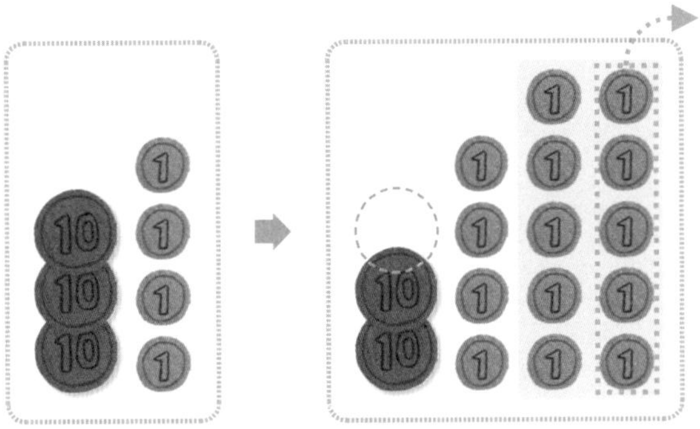

34 − 5 = [ ]
5
[ ] [10]

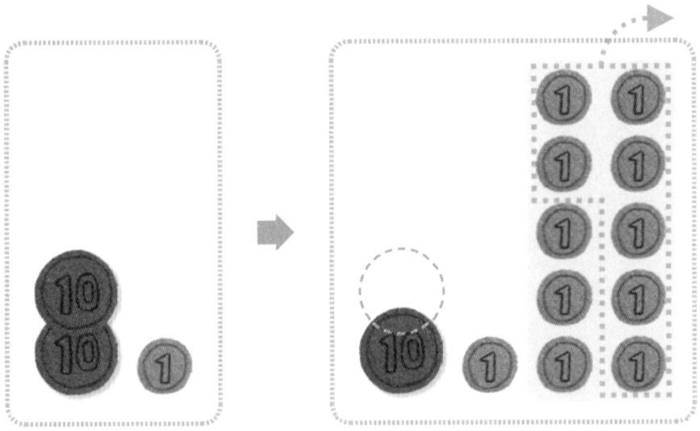

21 − 7 = [ ]
3
[ ] [10]

75 − 8 = [ ]

54 − 6 = [ ]

✚ 선으로 이어진 두 수의 차를 아래에 쓰세요.

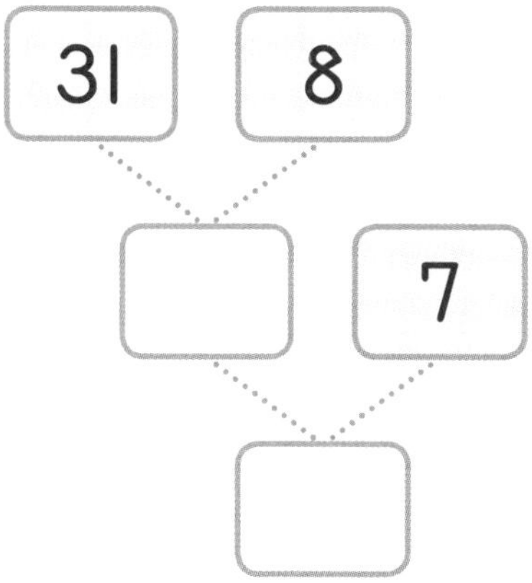

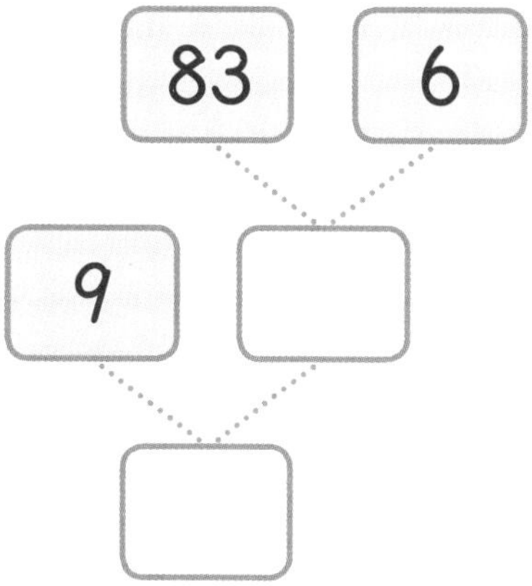

(두 수의 차)=(큰 수)−(작은 수)

✚ 지갑에 남은 돈은 얼마일까요?

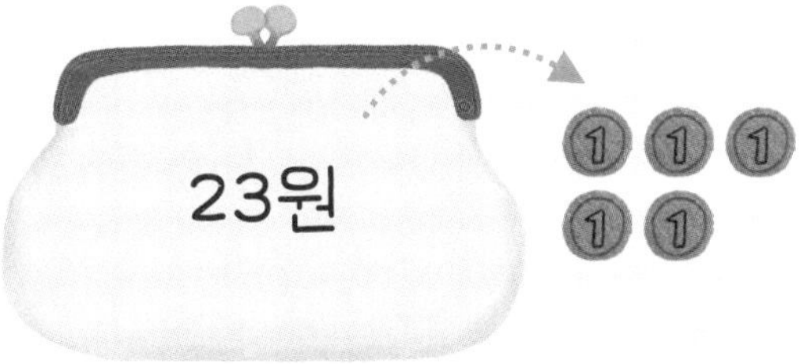

☐ 원

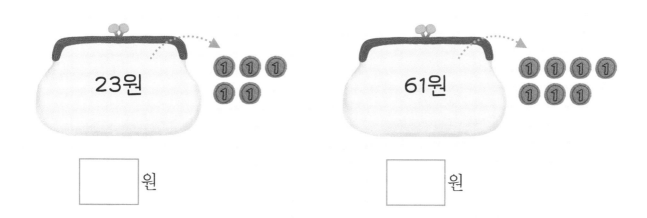

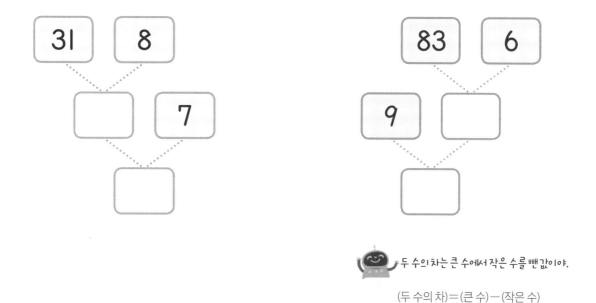

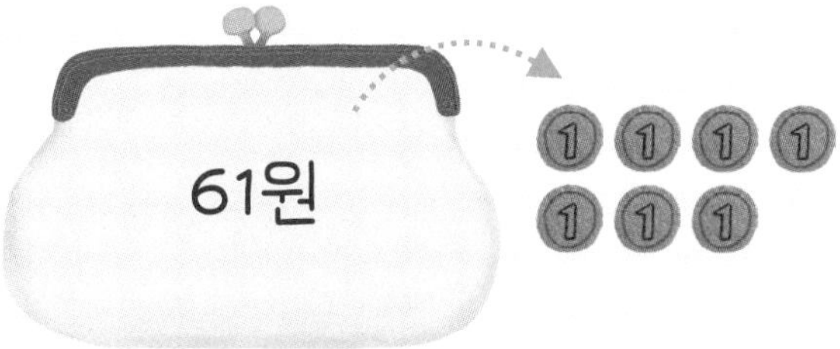

☐ 원

세로셈으로 뺄셈을 하세요.

$$\begin{array}{rr} 4 & 3 \\ - & 8 \\ \hline \square & \end{array} \Rightarrow \begin{array}{rr} 3 & 10 \\ \not{4} & 3 \\ - & 8 \\ \hline \square & \square \end{array} \Rightarrow \begin{array}{rr} 3 & 10 \\ \not{4} & 3 \\ - & 8 \\ \hline \square & 5 \end{array} \Rightarrow \begin{array}{rr} 3 & 10 \\ \not{4} & 3 \\ - & 8 \\ \hline 3 & 5 \end{array}$$

① 일의 자리 수끼리 뺄 수 없으면 십의 자리에서 10을 받아내려서 계산해요.

② 받아내림한 10에서 일의 자리 수를 빼고 남은 일의 자리 수와 더해요.

③ 일의 자리로 받아내림한 1을 십의 자리 수에서 빼요.

$$\begin{array}{rr} \square & \square \\ \not{3} & 5 \\ - & 7 \\ \hline \square & \square \end{array} \qquad \begin{array}{rr} \square & \square \\ 5 & 4 \\ - & 9 \\ \hline \square & \square \end{array} \qquad \begin{array}{rr} \square & \square \\ 8 & 6 \\ - & 8 \\ \hline \square & \square \end{array}$$

십의 자리에서 받아내림한 수 1도 꼭 빼야 해.

$$\begin{array}{rr} & 10 \\ 5 & 2 \\ - & 9 \\ \hline 5 & 3 \end{array} (\times) \qquad \begin{array}{rr} 4 & 10 \\ \not{5} & 2 \\ - & 9 \\ \hline 4 & 3 \end{array} (\bigcirc)$$

$$\begin{array}{rr} 9 & 2 \\ - & 6 \\ \hline \end{array} \qquad \begin{array}{rr} 4 & 1 \\ - & 7 \\ \hline \end{array} \qquad \begin{array}{rr} 6 & 0 \\ - & 5 \\ \hline \end{array}$$

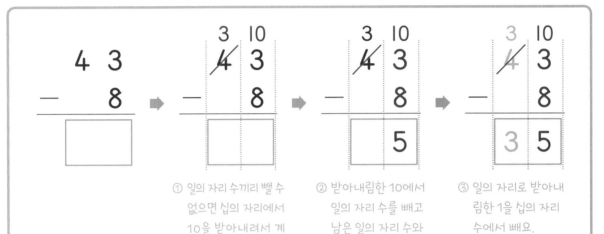

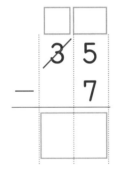

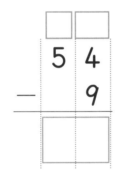

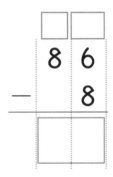

✚ 지도에 있는 뺄셈식의 계산 결과를 아래쪽 땅에서 모두 찾아 색칠하세요.

34 − 6	82 − 5	46 − 9
53 − 7	61 − 8	75 − 6

	51	53	47	43	
	52	38	77	64	
37	62	79	54	69	45
29	87	28	78	63	27
	48	76	55	36	
	67	26	46	59	

벌레 먹은 뺄셈

세로식과 가로식에서 없어진 수 □를 찾아봐.

✚ 빈 곳에 알맞은 수를 쓰세요.

$$\begin{array}{r} 2\ 6 \\ -\quad \square \\ \hline 2\ 2 \end{array}$$

$$\begin{array}{r} 6\ \square \\ -\quad 9 \\ \hline 5\ 3 \end{array}$$

$$\begin{array}{r} \square\ 9 \\ -\quad 5 \\ \hline 3\ 4 \end{array}$$

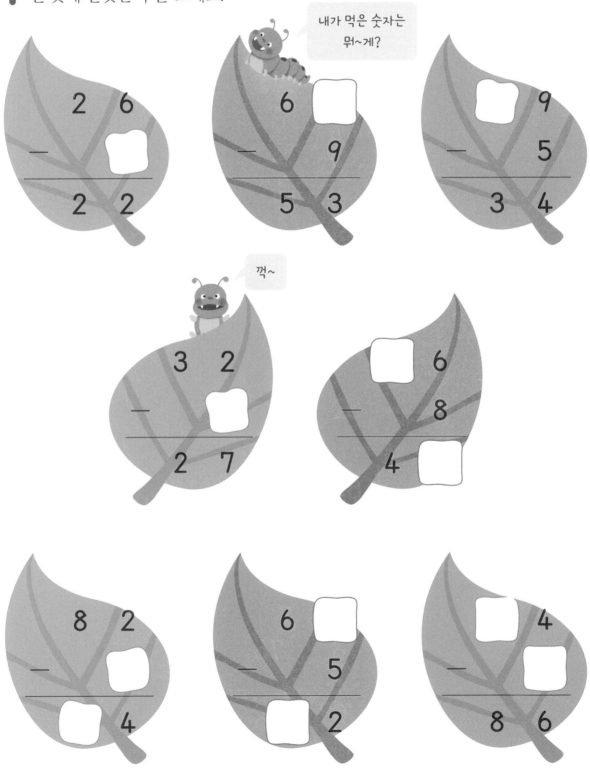

$$\begin{array}{r} 3\ 2 \\ -\quad \square \\ \hline 2\ 7 \end{array}$$

$$\begin{array}{r} \square\ 6 \\ -\quad 8 \\ \hline 4\ \square \end{array}$$

$$\begin{array}{r} 8\ 2 \\ -\quad \square \\ \hline \square\ 4 \end{array}$$

$$\begin{array}{r} 6\ \square \\ -\quad 5 \\ \hline \square\ 2 \end{array}$$

$$\begin{array}{r} \square\ 4 \\ -\quad \square \\ \hline 8\ 6 \end{array}$$

✚ 빈칸에 알맞은 수를 쓰세요.

$35 - \boxed{} = 29$

$6\boxed{} - 8 = 52$

$\boxed{}1 - 5 = 3\boxed{}$

$9\boxed{} - 3 = \boxed{}8$

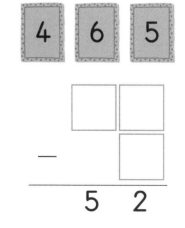

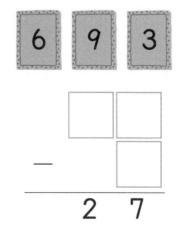

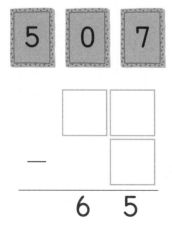

잘 모르겠으면
세로셈으로 바꾸어 봐.

✚ 카드 3장을 한 번씩 모두 사용하여 세로식을 완성하세요.

5 0 7

$$\begin{array}{r} \boxed{}\ \boxed{} \\ -\quad \boxed{} \\ \hline 6\ \ 5 \end{array}$$

6 9 3

$$\begin{array}{r} \boxed{}\ \boxed{} \\ -\quad \boxed{} \\ \hline 2\ \ 7 \end{array}$$

4 6 5

$$\begin{array}{r} \boxed{}\ \boxed{} \\ -\quad \boxed{} \\ \hline 5\ \ 2 \end{array}$$

5일 일의 자리 수의 크기를 비교하여 계산하기

이번에는 십의 자리부터 답을 써 봐.

두 수의 일의 자리 수의 크기를 비교하고, 십의 자리부터 계산하세요.

앞수의 일의 자리 수가 큰 경우

① 그대로

$36 - 4 = 32$

② 6－4

뒷수의 일의 자리 수가 큰 경우

① 3－1

$36 - 9 = 27$

② 10－9＋6

① ②

$27 - 8 = \square\square$

① ②

$73 - 2 = \square\square$

$52 - 6 = \square$

$91 - 3 = \square$

빨셈을 하세요.

45		
	－4	
	－5	
	－6	

94		
	－7	
	－3	
	－9	

월 일

✚ 가장 큰 수와 가장 작은 수의 차를 빈칸에 쓰세요.

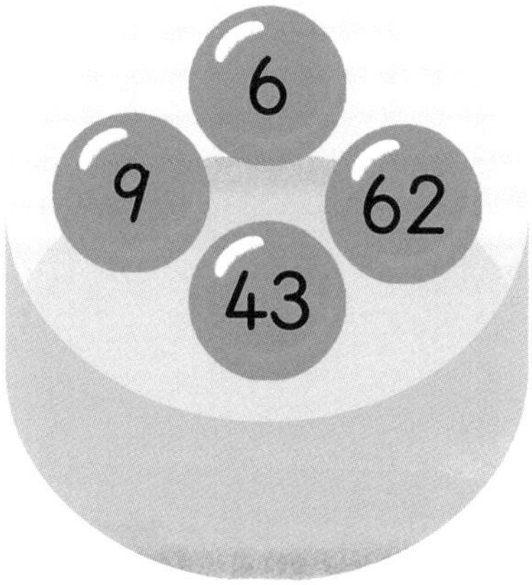

가장 큰 수는 62,
가장 작은 수는 6이야.

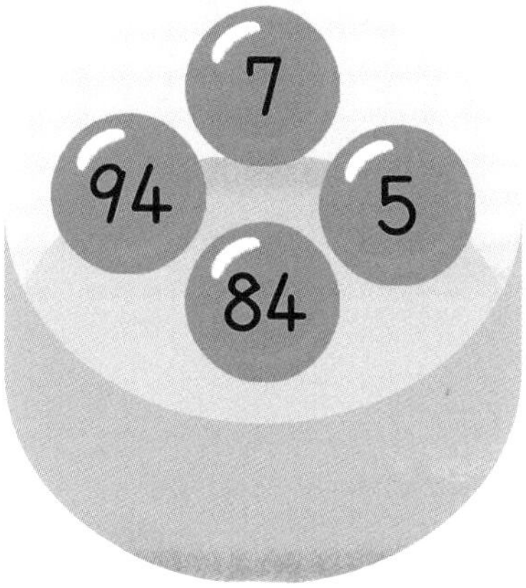

➕ 뺄셈을 하세요.

$60 - 2 = \boxed{}$ $23 - 8 = \boxed{}$

$37 - 4 = \boxed{}$ $84 - 7 = \boxed{}$

➕ 뺄셈을 하세요.

$$\boxed{}\,\boxed{}$$
$$\begin{array}{r} 9\ 2 \\ -\quad 6 \\ \hline \boxed{} \end{array}$$

$$\boxed{}\,\boxed{}$$
$$\begin{array}{r} 4\ 5 \\ -\quad 7 \\ \hline \boxed{} \end{array}$$

$$\boxed{}\,\boxed{}$$
$$\begin{array}{r} 6\ 1 \\ -\quad 5 \\ \hline \boxed{} \end{array}$$

➕ 빈 곳에 알맞은 수를 쓰세요.

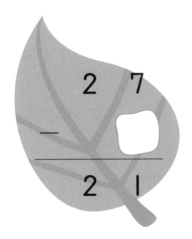

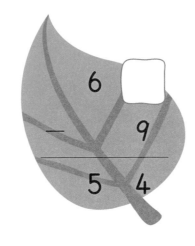

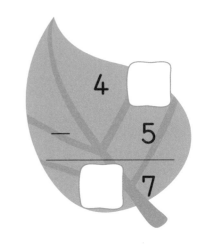

3주

간단하게 계산하기

학습 기준

- (몇십몇)+(몇)에서 뒷수를 10으로 만들어 계산할 수 있나요? □
- (몇십몇)+(몇)에서 앞수를 몇십으로 만들어 계산할 수 있나요? □
- (몇십몇)-(몇)에서 뒷수를 10으로 만들어 계산할 수 있나요? □
- (몇십몇)-(몇)에서 앞수를 몇십으로 만들어 계산할 수 있나요? □

10 만들어 더하기 는 뒷수를 10으로 만들어 더하는 방법이야.

✚ 뒷수를 10으로 만들어 덧셈을 하세요.

$27 + 9 = \boxed{37} - 1$

37

$ 10 \quad -1$

$ = \boxed{36}$

9개 → ∪ = ∪ ← 1개 10개

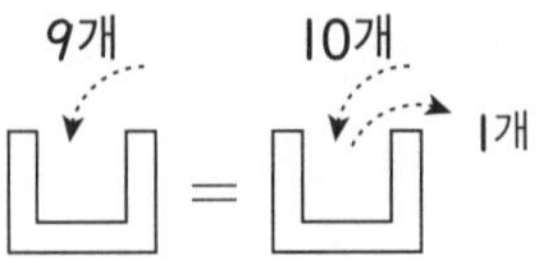

9를 더하는 것은
10을 더한 다음
1을 빼는 것과 같아.

$56 + 9 = \boxed{} - 1$

$ 10 \quad -1$

$ = \boxed{}$

$74 + 8 = \boxed{} - 2$

$ 10 \quad -2$

$ = \boxed{}$

$24 + 7 = \boxed{}$

$ 10 \quad -3$

$35 + 8 = \boxed{}$

$ 10 \quad -2$

$67 + 9 = \boxed{}$

$86 + 7 = \boxed{}$

이웃한 두 수의 합을 가운데 빈칸에 쓰세요.

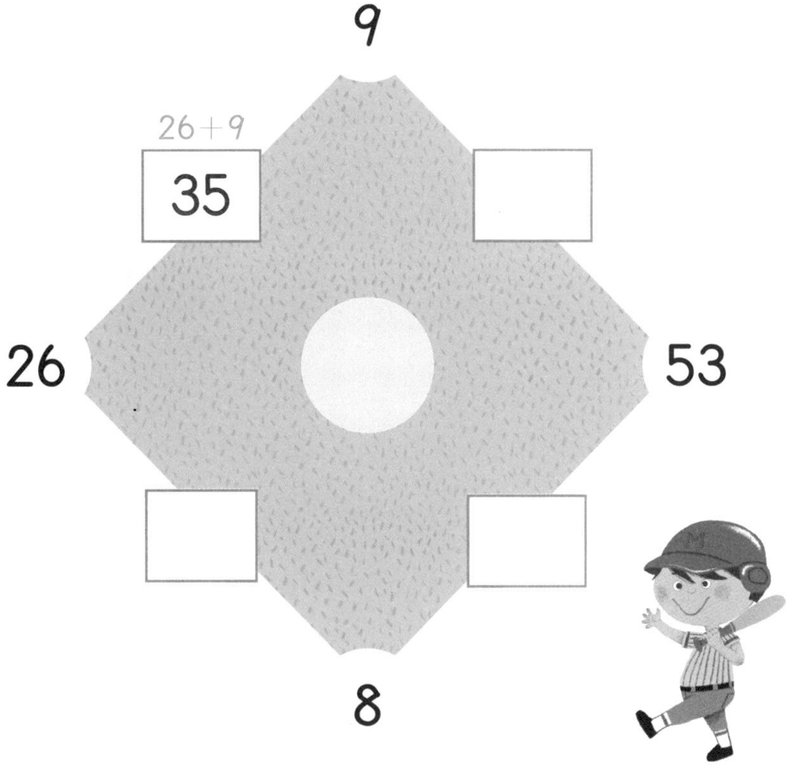

8과 9를
10으로 만들어
간단히 계산해.

빈칸에 알맞은 수를 쓰세요.

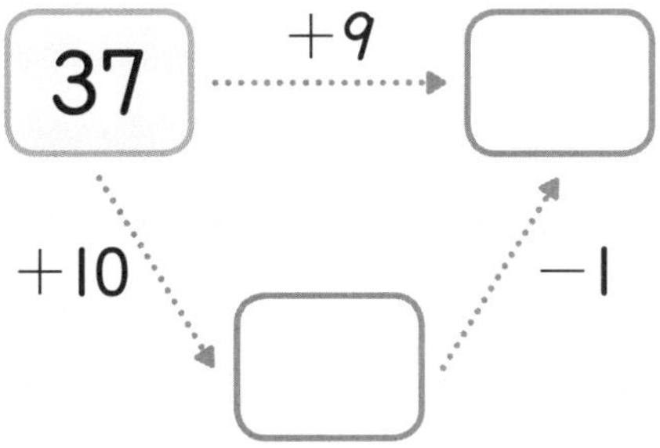

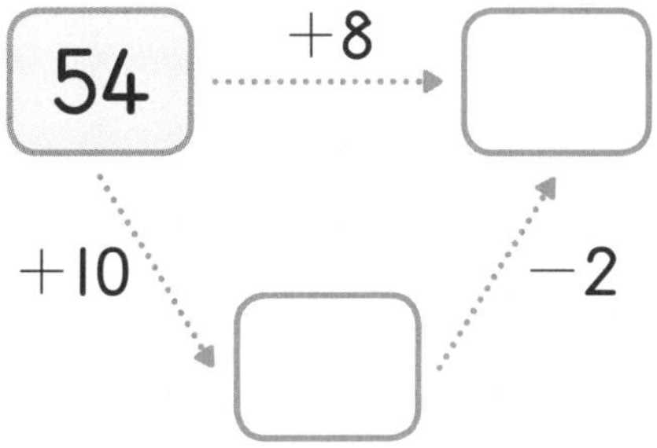

♣ 앞수를 몇십으로 만들어 덧셈을 하세요.

$$29 + 5 = \boxed{34}$$

$$\boxed{30} + \boxed{4} = \boxed{34}$$

+1   −1

29는 30에 가까우니까 29에 1을 더해.

계산 결과가 변하지 않으려면 더한 수만큼 뒷수에서 빼줘야 해.

$$47 + 5 = \boxed{}$$

$$\boxed{} + \boxed{} = \boxed{}$$

+3   −3

$$38 + 7 = \boxed{}$$

$$\boxed{} + \boxed{} = \boxed{}$$

+2   −2

$$68 + 4 = \boxed{}$$

70   2

$$49 + 6 = \boxed{}$$

50   5

$$87 + 5 = \boxed{}$$

$$58 + 3 = \boxed{}$$

✚ 관계있는 것끼리 선으로 이으세요.

59 + 6	60 + 2	53
48 + 5	50 + 3	33
27 + 6	60 + 5	62
58 + 4	30 + 3	65

38+6 | 40+4

3일 10 만들어 빼기 는 뒷수를 10으로 만들어 빼는 방법이야.

뒷수를 10으로 만들어 뺄셈을 하세요.

42 − 9 = 32 + 1

32

−10 +1

= 33

9를 빼는 것은 10을 뺀 다음 1을 더하는 것과 같아.

36 − 9 = ☐ + 1

−10 +1

= ☐

8을 빼는 것은 10을 뺀 다음 2를 더하는 것과 같아.

24 − 8 = ☐ + 2

−10 +2

= ☐

52 − 7 = ☐

−10 +3

97 − 8 = ☐

−10 +2

67 − 9 = ☐

82 − 7 = ☐

주어진 도형이 나타내는 수를 찾아 뺄셈을 하세요.

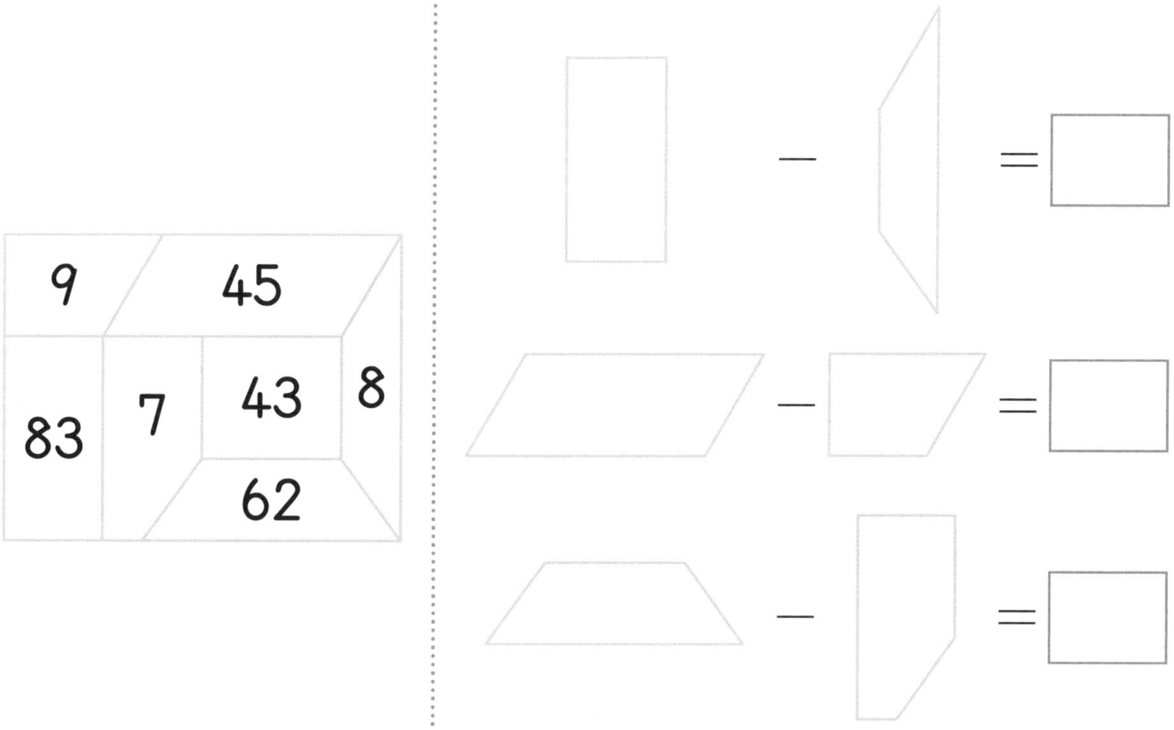

빈칸에 알맞은 수를 쓰세요.

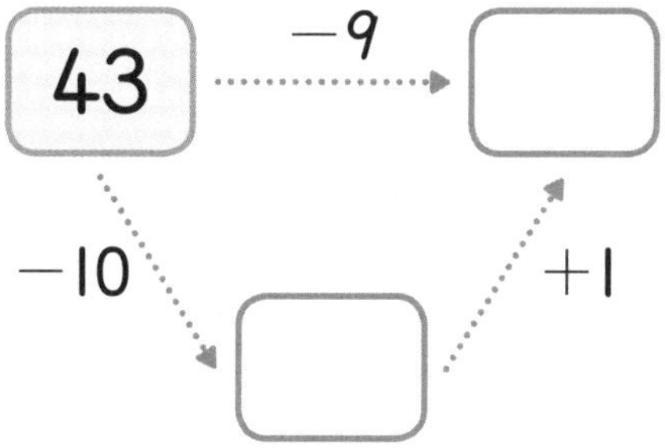

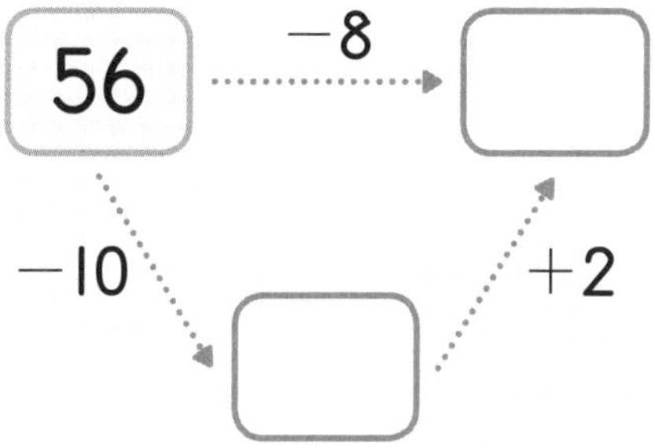

몇십 만들어 빼기
는 앞수를 몇십으로 만들어 빼는 방법이야.

➕ 앞수를 몇십으로 만들어 뺄셈을 하세요.

$$32 - 5 = \boxed{27}$$

$$\downarrow -2 \qquad \downarrow -2$$

$$\boxed{30} - \boxed{3} = \boxed{27}$$

32는 30에
가까우니까
32에서 2를 빼.

뺄셈에서 계산 결과가
변하지 않으려면 뺀 수만큼
뒷수에서도 빼줘야 해.

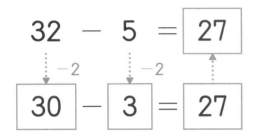

$$21 - 3 = \boxed{}$$

$$\downarrow -1 \qquad \downarrow -1$$

$$\boxed{} - \boxed{} = \boxed{}$$

$$54 - 5 = \boxed{}$$

$$\downarrow -4 \qquad \downarrow -4$$

$$\boxed{} - \boxed{} = \boxed{}$$

$$62 - 4 = \boxed{}$$

60   2

$$41 - 5 = \boxed{}$$

40   4

$$83 - 6 = \boxed{}$$

$$92 - 7 = \boxed{}$$

✚ 계산 결과에 해당하는 글자를 찾아 빈칸에 알맞게 쓰세요.

65	58	47	17	59	76	38	29	28
			아					

?

어느 뺄셈이 더 쉬워?

62−7 | 60−5

➕ 계산을 하여 ☐ 안에 알맞은 수를 쓰세요.

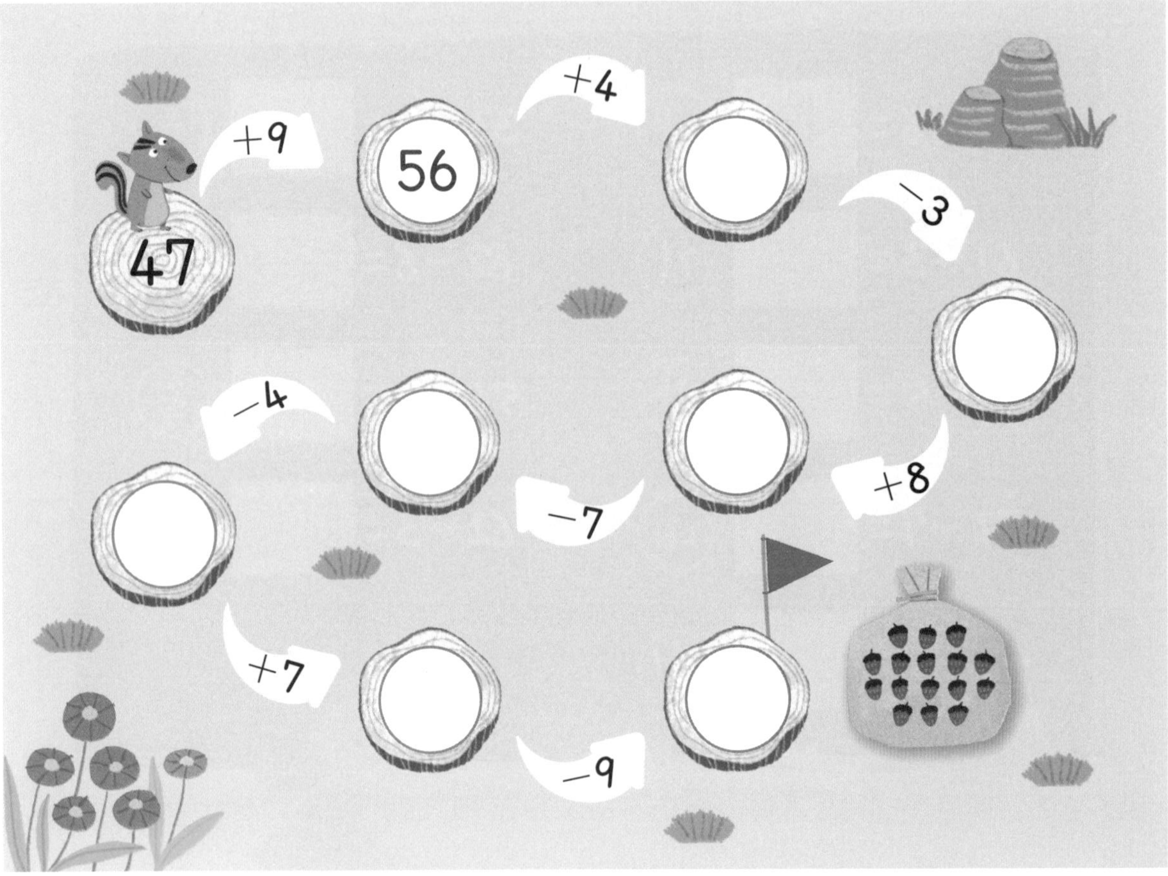

➕ 빈칸에 알맞은 수를 쓰세요.

$$43 - 6 = 40 - \boxed{}$$
$$= \boxed{}$$

$$94 - 6 = 90 - \boxed{}$$

월 일

◆ 물음에 차례로 답하세요.

72에서 5를 빼면?
84에 9를 더하면?
8에 47을 더하면?
25보다 9 작은 수는?
36보다 8 큰 수는?
스핑크스

확인 학습

✚ 뒷수를 10으로 만들어 계산을 하세요.

$26 + 9 = \square - 1$

(9 → 10, −1)

$= \square$

$45 - 8 = \square + 2$

(8 → −10, +2)

$= \square$

✚ 앞수를 몇십으로 만들어 계산을 하세요.

$38 + 5 = \square$

(38 → +2, 5 → −2)

$\square + \square = \square$

$63 - 4 = \square$

(63 → −3, 4 → −3)

$\square - \square = \square$

✚ 계산을 하여 ◯ 안에 알맞은 수를 쓰세요.

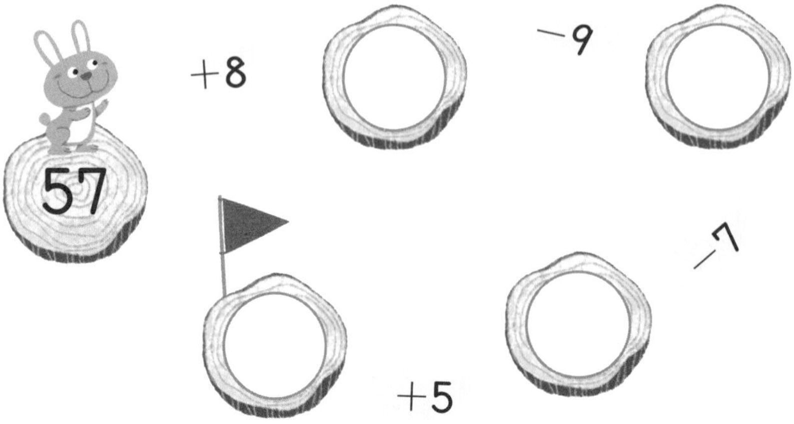

4주

□ 구하기, 세 수의 계산

학습 기준

- □가 있는 덧셈식과 뺄셈식에서 □를 구할 수 있나요? □
- 세 수의 계산을 앞에서부터 차례로 계산할 수 있나요? □
- 더하고 빼는 세 수의 계산에서 뒤의 두 수부터 간단히 계산할 수 있나요? □
- 빼고 더하는 세 수의 계산에서 뒤의 두 수부터 간단히 계산할 수 있나요? □

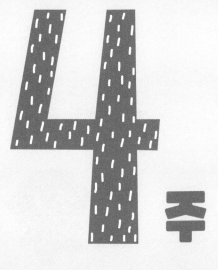

□가 있는 덧셈 양팔 저울을 보고 □가 있는 덧셈을 이해해 보자.

➕ □ 안에 알맞은 수를 쓰세요.

양팔 저울을 보고 $27 + \square = 35$
여러 가지 식을 $35 - \square = 27$
만들 수 있어. $35 - 27 = \square$

$$27 + \boxed{} = 35$$

$$15 + \boxed{} = 21$$

$$68 + \boxed{} = 72$$

➕ 수 카드 6장을 한 번씩 모두 사용하여 합이 43이 되는 식 3개를 만드세요.

7	35	9
34	8	36

$$\boxed{} + \boxed{} = 43$$

$$\boxed{} + \boxed{} = 43$$

$$\boxed{} + \boxed{} = 43$$

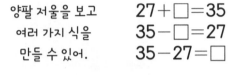

✚ 빈칸에 알맞은 수를 쓰세요.

45	+		=	51
+				+
8				
=				=
	+		=	60

	+	6	=	74
+				+
5				
=				=
	+		=	82

2일 □가 있는 뺄셈

수직선을 보고 □가 있는 뺄셈을 이해해 보자.

□ 안에 알맞은 수를 쓰세요.

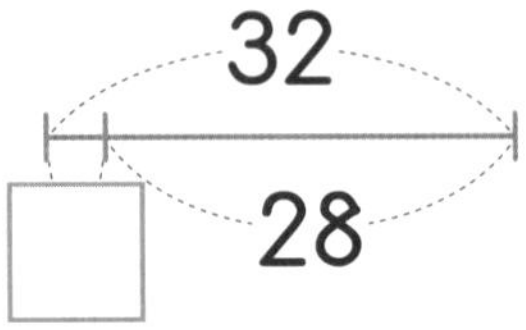

$32 - \square = 28$

수직선을 보고 여러 가지 식을 만들 수 있어.

$\square + 28 = 32$

$32 - \square = 28$

$32 - 28 = \square$

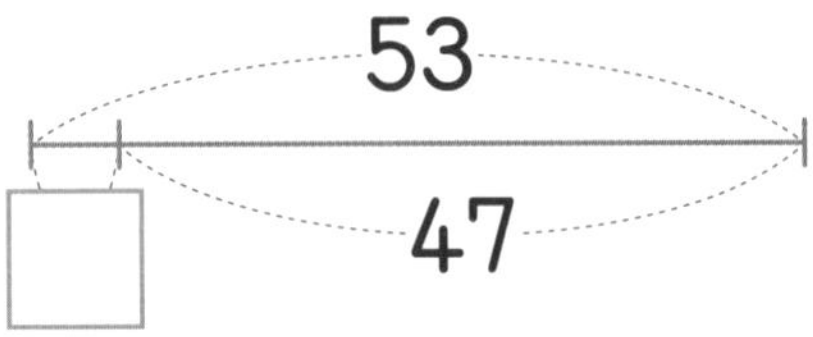

$53 - \square = 47$

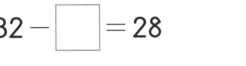

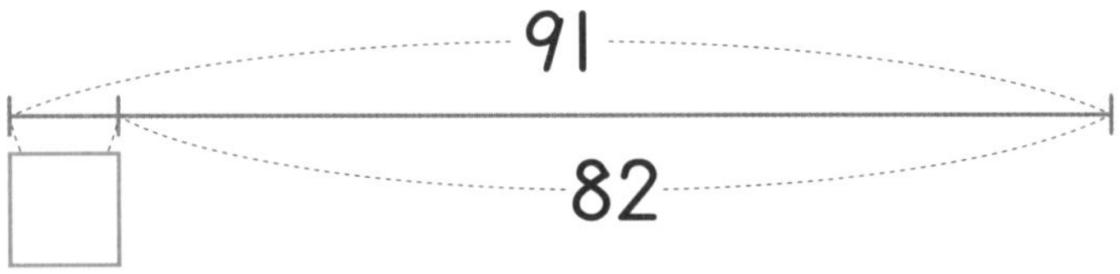

$91 - \square = 82$

빈칸에 알맞은 수를 쓰세요.

$43 - \square = 38$

$\square - 6 = 58$

$\square - 7 = 63$

$82 - \square = 75$

✤ 두 수의 차가 가장 오른쪽 수가 되도록 세 수를 차례로 선으로 이으세요.

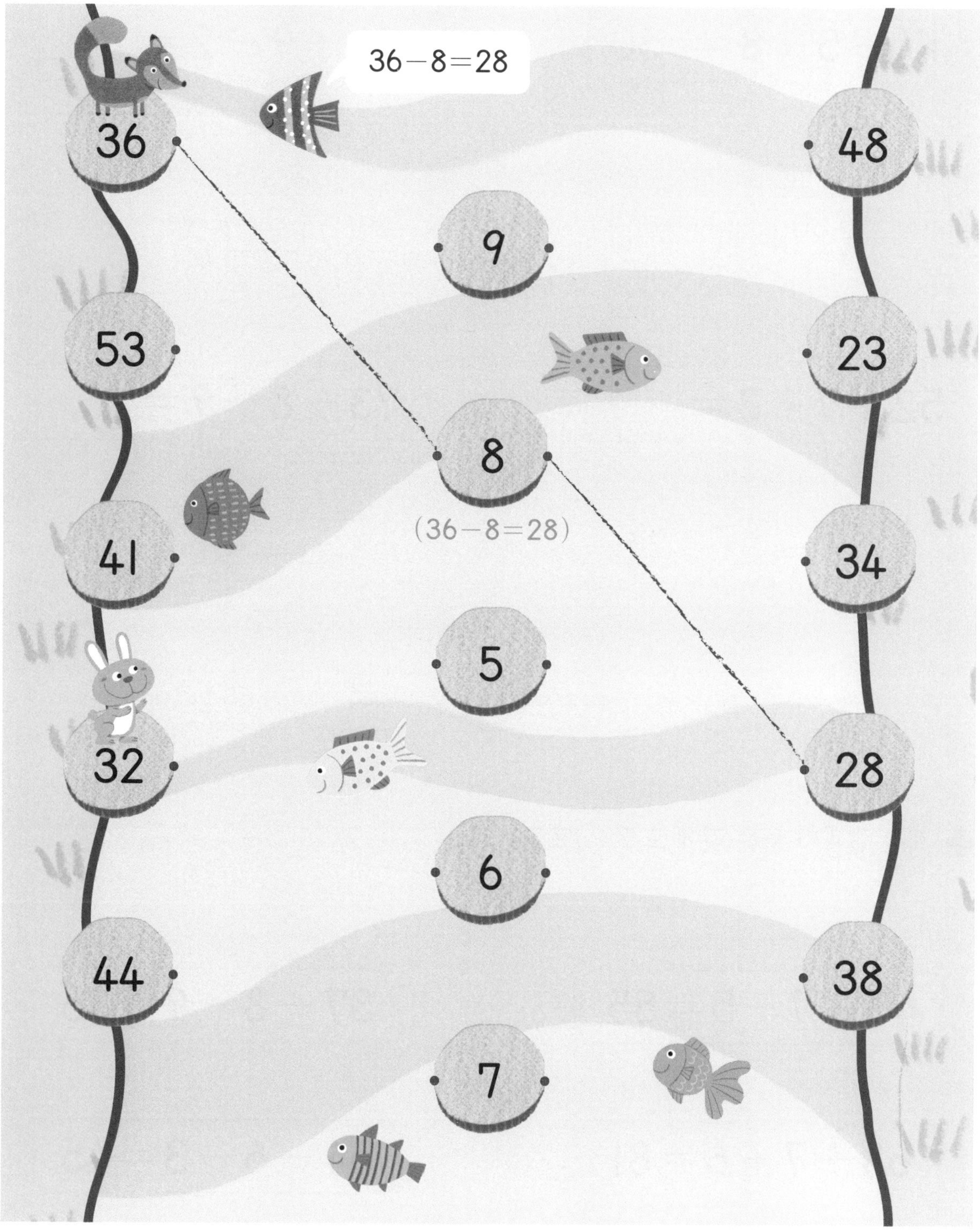

3일 세 수의 계산

앞에서부터 차례로 계산해 봐.

✚ 세 수의 계산을 하세요.

$17 + 5 + 8 = \boxed{30}$

(17 + 5 → 22, 22 + 8 → 30)

$34 + 9 - 2 = \square$

(34 + 9 → □, □ − 2 → □)

$52 - 7 + 3 = \square$

(52 − 7 → □, □ + 3 → □)

$73 - 8 - 9 = \square$

(73 − 8 → □, □ − 9 → □)

✚ 계산 결과가 옳은 것에 모두 ◯표 하세요.

$43 + 7 - 5 = 55$	$37 - 8 - 9 = 26$
$68 + 7 + 6 = 81$	$54 - 6 - 3 = 45$

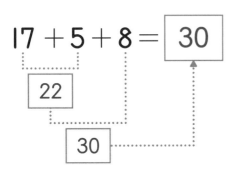

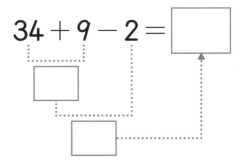

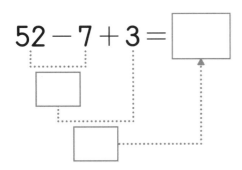

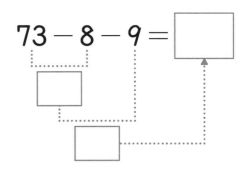

월 일

사다리 타기를 하여 빈칸에 알맞은 수를 쓰세요.

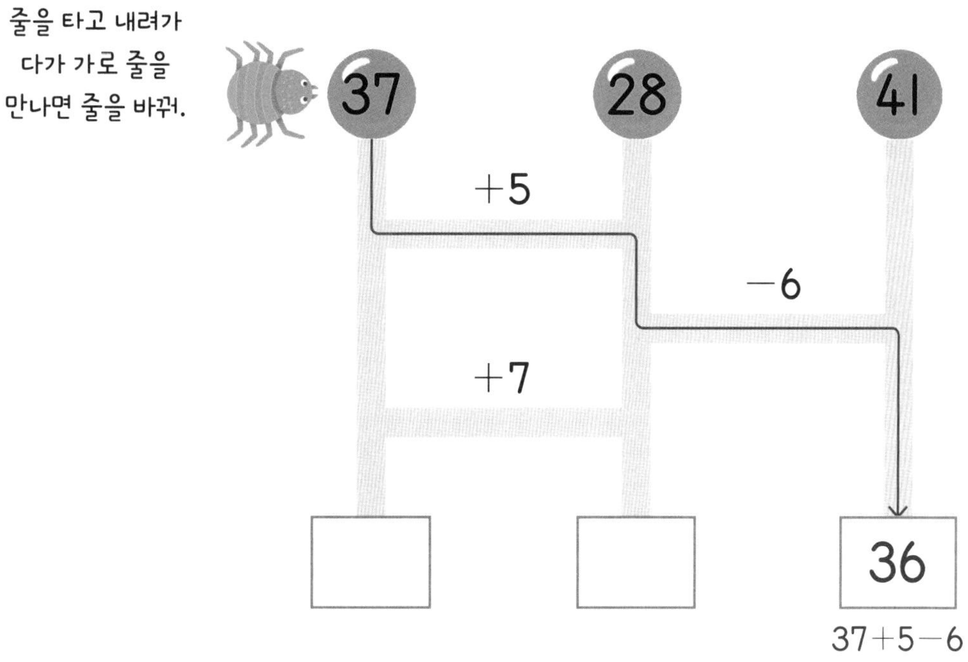

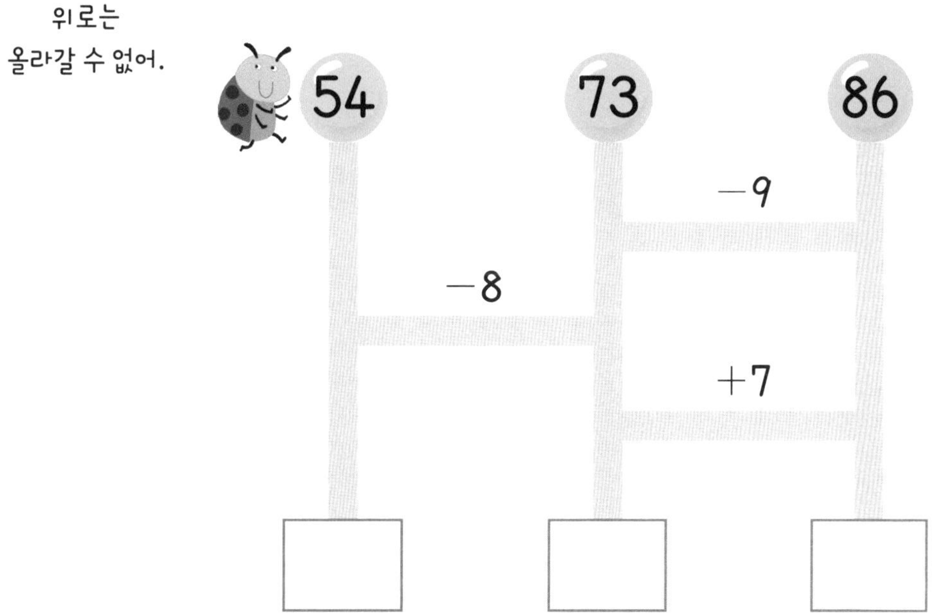

더하고 빼기

세 수의 계산에서 뒤의 두 수부터 계산하면 편리해.

세 수의 계산을 뒤의 두 수부터 간단히 하세요.

4개를 더하고 3개를 빼는 것은 1개를 더하는 것과 같아.

$17 + 4 - 3$

$= 17 + \boxed{1} = \square$

4개를 더하고 7개를 빼는 것은 3개를 빼는 것과 같아.

$68 + 4 - 7$

$= 68 - \boxed{3} = \square$

$42 + 9 - 4$

$= 42 + \square = \square$

$35 + 7 - 9$

$= 35 - \square = \square$

$65 + 6 - 7$

$= 65 - \square = \square$

$76 + 8 - 5$

$= 76 + \square = \square$

수 카드 2장을 빈칸에 알맞게 넣어 식을 완성하세요.

3 8

$25 + \square - \square = 30$

7 4

$78 + \square - \square = 81$

3 5

$63 + \square - \square = 61$

9 1

$46 + \square - \square = 38$

더하는 수가 더 큰지, 빼는 수가 더 큰지 살펴봐.

○+△−□ → △>□ (더 더해요)

○+△−□ → △<□ (더 빼요)

빈 곳에 알맞은 수를 쓰세요.

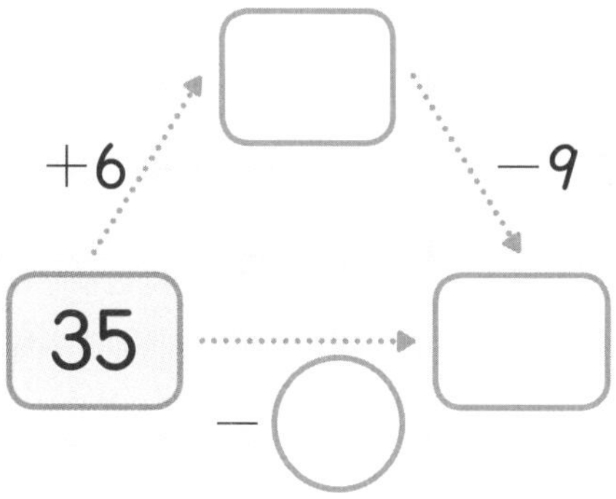

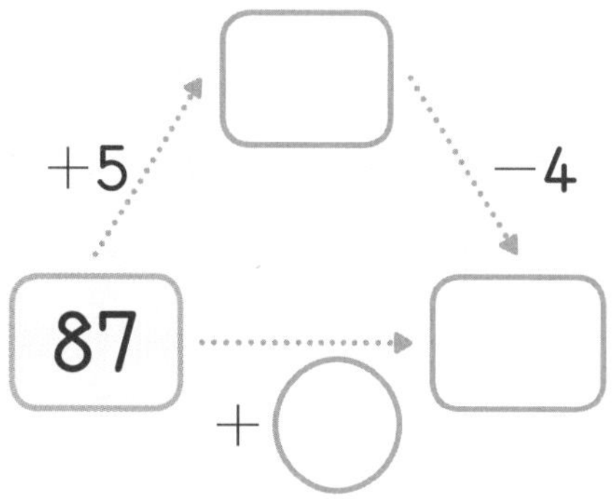

빼고 더하기 도 뒤의 두 수부터 먼저 계산해 볼래?

세 수의 계산을 뒤의 두 수부터 간단히 하세요.

3개를 빼고 2개를 더하는 것은 1개를 빼는 것과 같아.

32 − 3 + 2

= 32 − □ = □

3개를 빼고 5개를 더하는 것은 2개를 더하는 것과 같아.

41 − 3 + 5

= 41 + □ = □

빈칸에 알맞은 수를 넣어 세 수의 계산을 간단히 하세요.

34 − 5 + 8 = 34 + □ = □

51 − 6 + 4 = 51 − □ = □

42 − 8 + 9 = 42 + □ = □

빼는 수가 더 큰지, 더하는 수가 더 큰지 살펴봐.

○−△+□ → △>□ (더 빼요) / △<□ (더 더해요)

월 일

✤ 계산에 알맞은 길을 그리세요.

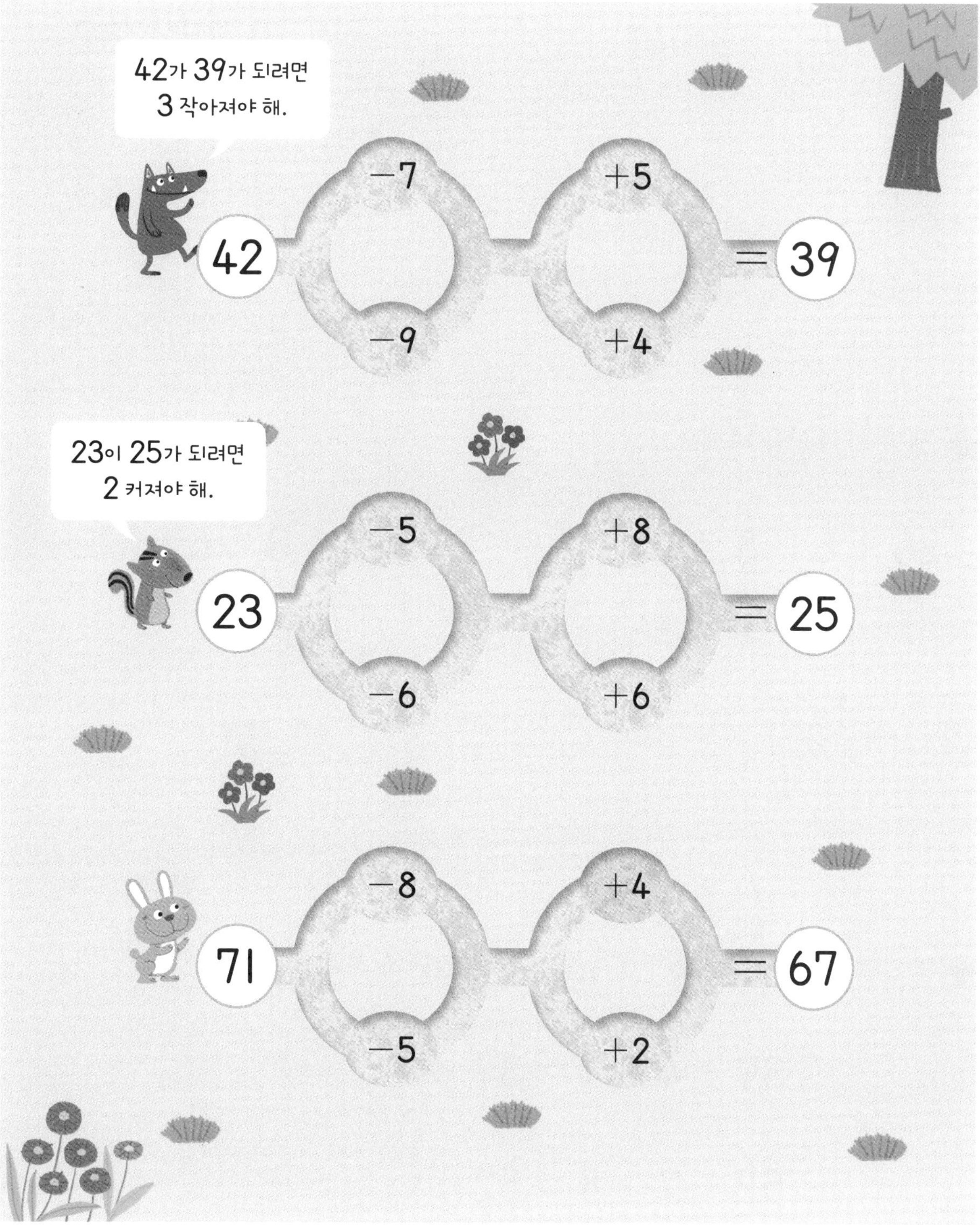

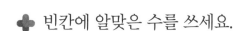

➕ 빈칸에 알맞은 수를 쓰세요.

$$35 + \boxed{} = 41 \qquad \boxed{} + 79 = 82$$

$$61 - \boxed{} = 56 \qquad \boxed{} - 7 = 43$$

➕ 세 수의 계산을 하세요.

$$26 + 6 - 8 = \boxed{}$$

$$42 + 3 - 6 = \boxed{}$$

➕ 빈칸에 알맞은 수를 넣어 세 수의 계산을 간단히 하세요.

$$39 + 4 - 7 = 39 - \boxed{} = \boxed{}$$

$$52 - 7 + 8 = 52 + \boxed{} = \boxed{}$$

마무리 평가

마무리 평가에서는 1, 2, 3, 4주 차의 유형이 순서대로 나옵니다.
문제가 틀리면 몇 주 차인지 확인하여 반드시 다시 한번 복습합니다.

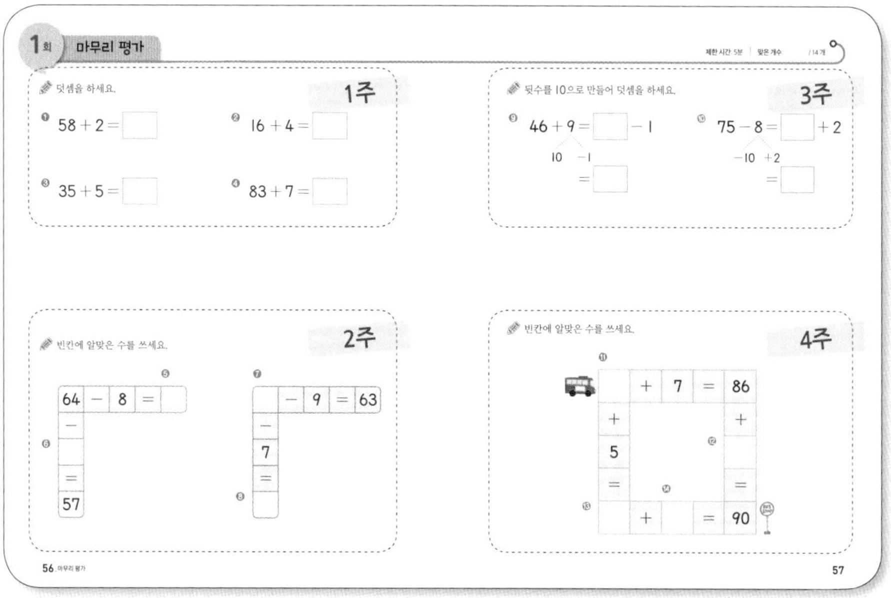

1회 마무리 평가
제한 시간 5분 | 맞은 개수 /14개
덧셈을 하세요. 1주
❶ 58 + 2 = ☐
❷ 16 + 4 = ☐
❸ 35 + 5 = ☐
❹ 83 + 7 = ☐
빈칸에 알맞은 수를 쓰세요. 2주
❺ 64 − 8 = ☐
❻ 64 − ☐ = 57
❼ ☐ − 9 = 63
❽ ☐ − 7 = ☐
뒷수를 10으로 만들어 덧셈을 하세요. 3주
❾ 46 + 9 = ☐ − 1
10 −1
= ☐
❿ 75 − 8 = ☐ + 2
−10 +2
= ☐
빈칸에 알맞은 수를 쓰세요. 4주
⓫ ☐ + 7 = 86
⓬ 86 + ☐ = 90
⓭ ☐ + ☐ = 90
⓮ ☐ + 5 = ☐
56 마무리 평가
57

✏️ 덧셈을 하세요.

① 58 + 2 = ☐

② 16 + 4 = ☐

③ 35 + 5 = ☐

④ 83 + 7 = ☐

✏️ 빈칸에 알맞은 수를 쓰세요.

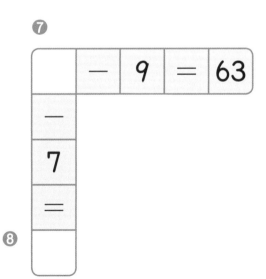

⑤

| 64 | − | 8 | = | ☐ |

⑥

| 64 |
| − |
| ☐ |
| = |
| 57 |

⑦

| ☐ | − | 9 | = | 63 |

| ☐ |
| − |
| 7 |
| = |
| ☐ |

뒷수를 10으로 만들어 덧셈을 하세요.

⑨ $46 + 9 = \square - 1$

(9 → 10, −1)

$= \square$

⑩ $75 - 8 = \square + 2$

(8 → −10, +2)

$= \square$

빈칸에 알맞은 수를 쓰세요.

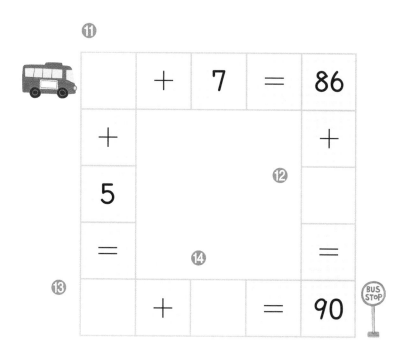

⑪

	+	7	=	86
+				+
5			⑫	
=		⑭		=
⑬	+		=	90

2회 마무리 평가

앞수와 더하여 몇십이 되도록 뒷수를 갈라 덧셈을 하세요.

❶ 37 + 5 = 40 + □

40

□ □

= □

❷ 85 + 8 = 90 + □

90

□ □

= □

선으로 이어진 두 수의 차를 아래에 쓰세요.

35　9

❸ □　5

❹ □

73　6

8　□ ❺

❻ □

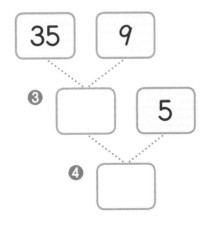

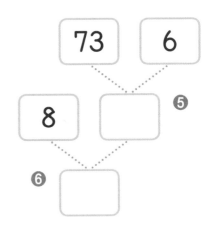

✏️ 관계있는 것끼리 선으로 이으세요.

❼ $47 + 6$ $40 + 2$ 63

❽ $39 + 3$ $60 + 3$ 42

❾ $58 + 5$ $50 + 3$ 53

✏️ 빈칸에 알맞은 수를 쓰세요.

❿ $52 - \boxed{} = 43$ ⓫ $84 - \boxed{} = 77$

⓬ $\boxed{} - 5 = 35$ ⓭ $\boxed{} - 4 = 68$

✎ 세로셈으로 덧셈을 하세요.

❶
```
  [ ]
  6 4
+   7
─────
```

❷
```
  [ ]
  4 8
+   6
─────
```

❸
```
  [ ]
  5 7
+   9
─────
```

✎ 세로셈으로 뺄셈을 하세요.

❹
```
 [ ][ ]
  3 2
-   5
─────
```

❺
```
 [ ][ ]
  7 3
-   9
─────
```

❻
```
 [ ][ ]
  9 4
─────
```

✏️ 뒷수를 10으로 만들어 뺄셈을 하세요.

⑦ $36 - 9 = \boxed{} + 1$

$-10 \quad +1$

$= \boxed{}$

⑧ $53 - 8 = \boxed{} + 2$

$-10 \quad +2$

$= \boxed{}$

✏️ 사다리 타기를 하여 빈칸에 알맞은 수를 쓰세요

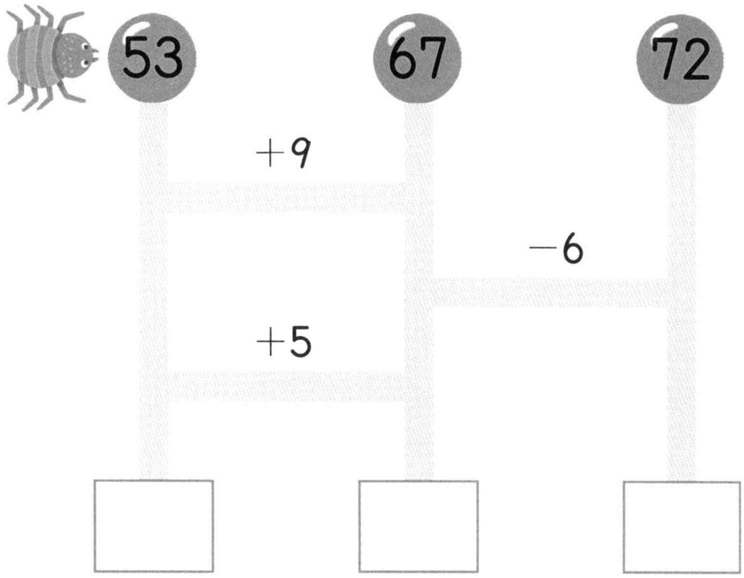

4회 마무리 평가

✎ 빈 곳에 알맞은 수를 쓰세요.

❶

$$\begin{array}{r} \square\ 7 \\ +\quad\ 5 \\ \hline 4\ 2 \end{array}$$

❷

$$\begin{array}{r} 8\ \square \\ +\quad\ 6 \\ \hline \square\ 1 \end{array}$$

❸

$$\begin{array}{r} \square\ 6 \\ +\quad\ \square \\ \hline 6\ 5 \end{array}$$

✎ 수 카드 3장을 한 번씩 모두 사용하여 세로식을 완성하세요.

❹ 2 8 7

$$\begin{array}{r} \square\ \square \\ -\quad\ \square \\ \hline 6\ 4 \end{array}$$

❺ 3 6 4

$$\begin{array}{r} \square\ \square \\ -\quad\ \square \\ \hline 5\ 9 \end{array}$$

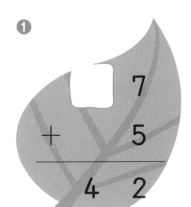

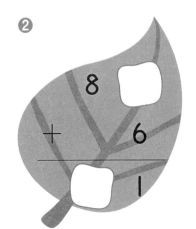

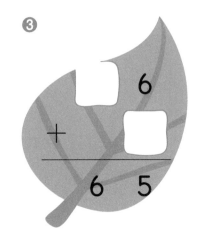

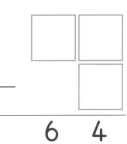

앞수를 몇십으로 만들어 뺄셈을 하세요.

❻ $51 - 4 = \square$

(51 −1 → $\square$, 4 −1 → $\square$)

$\square - \square = \square$

❼ $73 - 8 = \square$

(73 −3 → $\square$, 8 −3 → $\square$)

$\square - \square = \square$

수 카드 2장을 빈칸에 알맞게 넣어 식을 완성하세요.

❽ 9 7

$32 + \square - \square = 30$

❾ 4 7

$65 + \square - \square = 68$

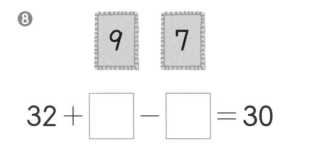

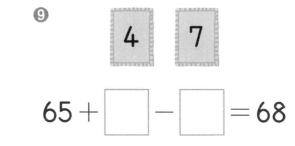

5회 마무리 평가

일의 자리 수의 합을 보고 십의 자리부터 계산하세요.

❶ $54 + 3 = \square$

❷ $27 + 9 = \square$

❸ $36 + 8 = \square$

❹ $75 + 4 = \square$

가장 큰 수와 가장 작은 수의 차를 빈칸에 쓰세요.

❺

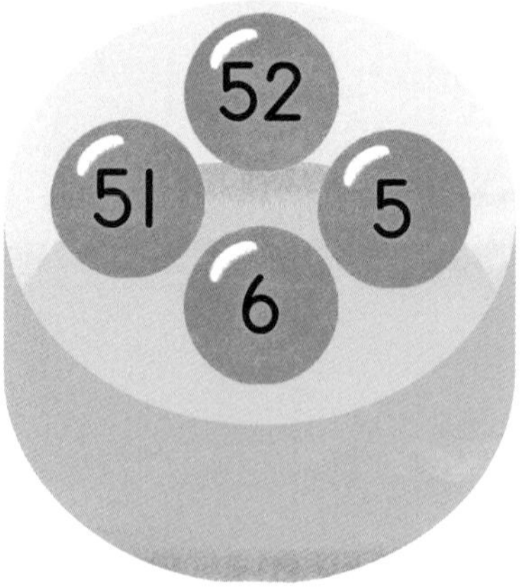

$\square$

❻

$\square$

물음에 답하세요.

❼ 27보다 6 큰 수는?

❽ 83에서 8을 빼면?

❾ 63보다 7 작은 수는?

계산에 알맞은 길을 그리세요.

❿

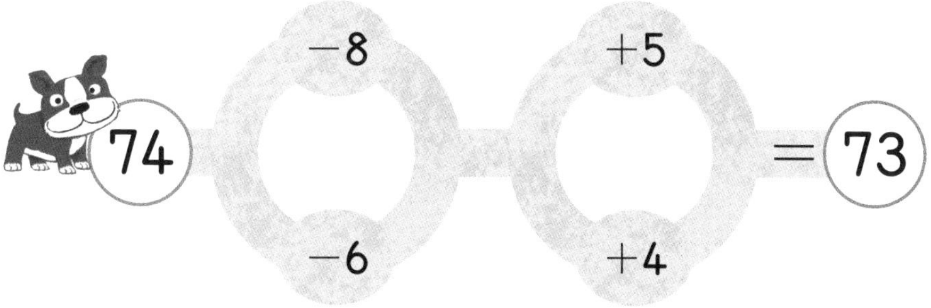

MEMO

실력 평가

초2_1권

시간	2분	문제 수	20개
배점	I문제 5점 / 총 100점		

날짜: ______ 월 ______ 일

이름: ______________

점수: ______ 점

사고가 자라는 수학
씨투엠

① $36 + 9 =$

② $64 + 6 =$

③ $27 + 8 =$

④ $43 + 6 =$

⑤ $54 + 7 =$

⑥ $25 - 7 =$

⑦ $46 - 8 =$

⑧ $90 - 3 =$

⑨ $21 - 9 =$

⑩ $75 - 3 =$

⑪ $89 + 5 =$

⑫ $31 - 8 =$

⑬ $48 + 7 =$

⑭ $54 - 5 =$

⑮ $72 - 6 =$

⑯ $88 + 8 =$

⑰ $61 - 4 =$

⑱ $27 + 9 =$

⑲ $82 + 8 =$

⑳ $45 - 7 =$

유아·초등 수학의 필수 개념

교과연계 수백판 100

유아·초등수학에서 꼭 해야 할 필수 교구 수백판 100

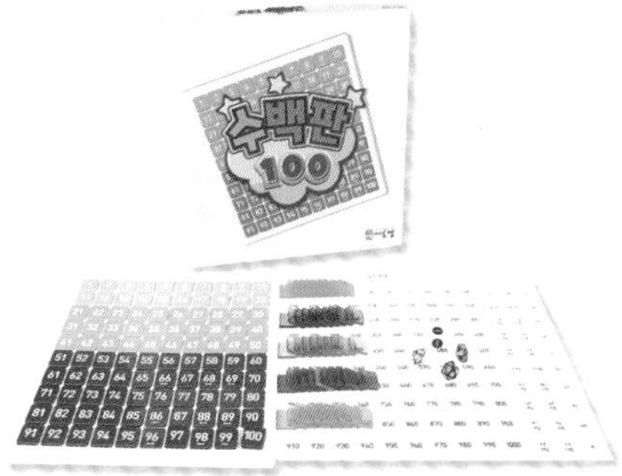

수백판

워크북(2권)

① 편리한 설계로

유아부터 초등까지

누구나 쉽게 이용가능!

② 보다 다양한 활동을 위해

읽기판과 천판

추가!

③ 수칩 구분이 쉬워

정리와 보관까지

한번에!

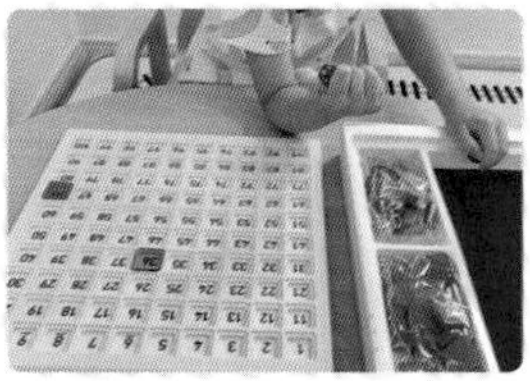

④ 초등수학교과를 연계한 체계적인 워크북과 함께하면 스스로 실력이 쑥쑥!

교과연계 단위 소개와 배워야 할 학습목표를 한눈에 볼 수 있습니다.

씨투엠이 만들면 기준이 됩니다!

초등 연산의 기준

정답

칸토의 연산

받아올림·내림 있는

(두 자리 수±한 자리 수)

사고가 자라는 수학
씨투엠

초2·1권

초등 연산의 기준

칸토의 연산

정답

받아올림·내림 있는

(두 자리 수±한 자리 수)

정답

1주: 받아올림 있는 (두 자리 수)+(한 자리 수)

8쪽 · 9쪽

1일 몇십이 되는 (몇십몇)+(몇) 일의 자리 수의 합이 10이면 십의 자리로 받아올림 해.

월 일

✚ 동전을 보고 덧셈을 하세요.

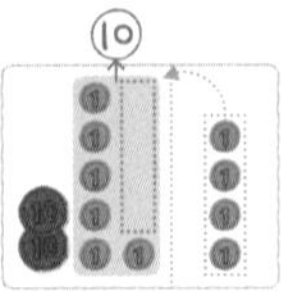

1원짜리 10개는 10원짜리 1개와 같아. 따라서 20원과 10원을 더하니까 30원이야.

26 + 4 = 30

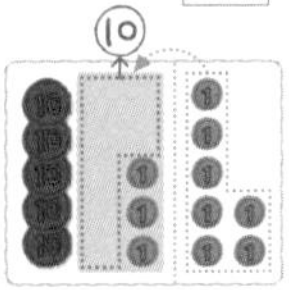

53 + 7 = 60

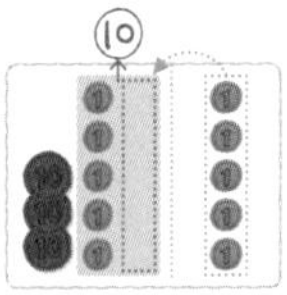

35 + 5 = 40

✚ 덧셈을 하세요.

48 + 2 = 50　　71 + 9 = 80

17 + 3 = 20　　64 + 6 = 70

✚ 합이 가운데 수가 되는 두 수를 찾아 색칠하세요.

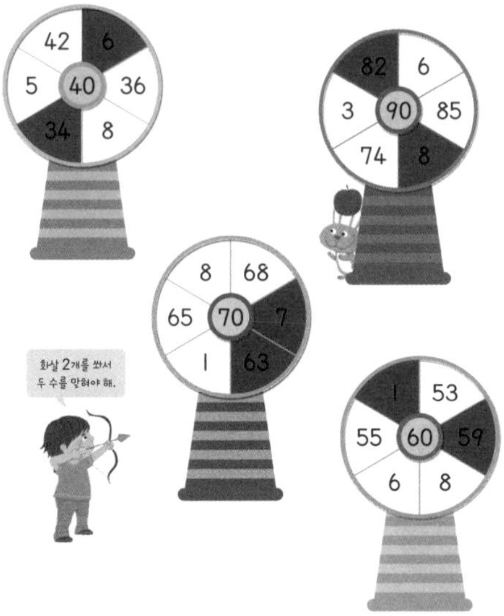

42 6 36 8 34 5 40
82 6 85 8 74 3 90
8 68 7 63 1 65 70
화살 2개를 쏴서 두 수를 맞혀야 해.
1 53 59 8 6 55 60

　

10쪽 · 11쪽

2일 받아올림 있는 (몇십몇)+(몇) 뒷수를 갈라 앞수를 몇십으로 만들어 더해 볼까?

월 일

✚ 앞수와 더하여 몇십이 되도록 뒷수를 갈라 덧셈을 하세요.

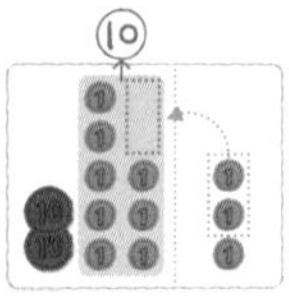

앞수 28이 30이 되려면 2가 필요해.
3을 2와 1로 갈라!
일 모형 10개를 십 모형 1개로 바꾸는 것을 받아올림이라고 해.

28 + 3 = 30 + 1 = 31
(30; 3 → 2, 1)

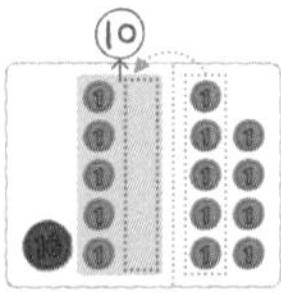

15 + 9 = 20 + 4 = 24
(20; 9 → 5, 4)

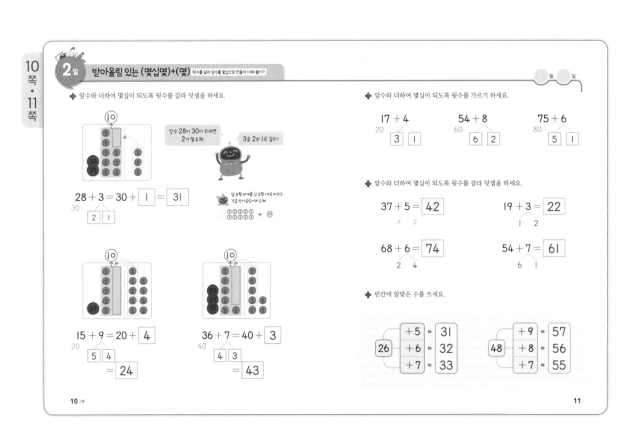

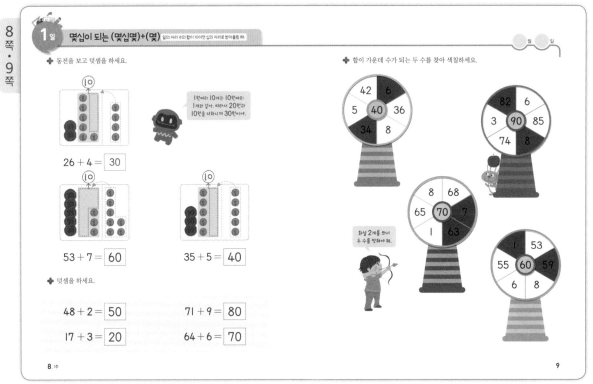

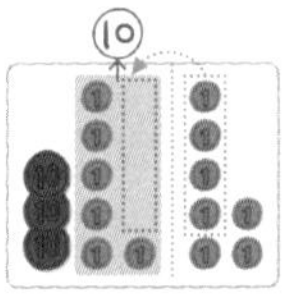

36 + 7 = 40 + 3 = 43
(40; 7 → 4, 3)

✚ 앞수와 더하여 몇십이 되도록 뒷수를 가르기 하세요.

17 + 4 (20; 4 → 3, 1)　　54 + 8 (60; 8 → 6, 2)　　75 + 6 (80; 6 → 5, 1)

✚ 앞수와 더하여 몇십이 되도록 뒷수를 갈라 덧셈을 하세요.

37 + 5 = 42 (5 → 3, 2)　　19 + 3 = 22 (3 → 1, 2)

68 + 6 = 74 (6 → 2, 4)　　54 + 7 = 61 (7 → 6, 1)

✚ 빈칸에 알맞은 수를 쓰세요.

26: +5 → 31, +6 → 32, +7 → 33

48: +9 → 57, +8 → 56, +7 → 55

12쪽 · 13쪽

3일 세로셈 세로로 자릿수를 맞추어 더해 봐. 답이 한눈에 보이지 않니?

월 일

✚ 세로셈으로 덧셈을 하세요.

```
  2 6          1            1
+   9   ➡    2 6    ➡    2 6
  [  ]       +   9        +   9
              [ 5]         [3 5]
```

① 일의 자리 수끼리의 합이 10이거나 10보다 크면 십의 자리로 1을 받아올림해요.
② 받아올림한 수를 십의 자리 수와 더해요.

나도 더해야 해.

```
 [1]          [1]          [1]
  6 4          3 9          5 3
+   8        +   4        +   7
 [7 2]        [4 3]        [6 0]
```

받아올림한 수 1도 꼭 더해야 해.

```
  1            1
  2 7          2 7
+   4        +   4
  2 1 (×)      3 1 (○)
```

```
  1            1            1
  7 5          4 6          8 7
+   8        +   6        +   9
  8 3          5 2          9 6
```

✚ 선으로 이어진 두 수의 합을 아래에 쓰세요.

68, 7 → 75; 75, 9 → 84

6, 36 → 42; 8, 42 → 50

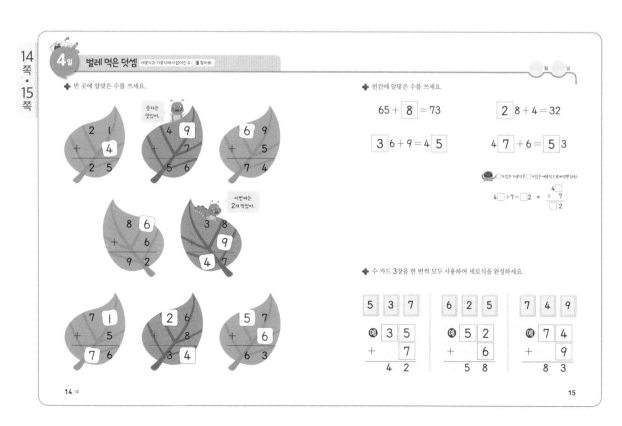

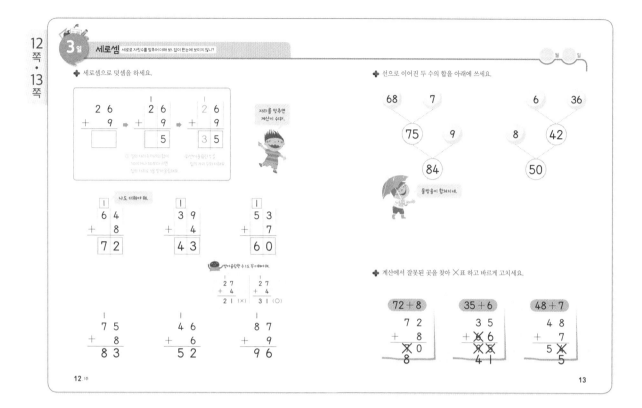

✚ 계산에서 잘못된 곳을 찾아 ×표 하고 바르게 고치세요.

72+8

```
  7 2
+   8
  7 0   (7에 ×, 8)
```

35+6

```
  3 5
+ 6     (6에 ×, 일의 자리 6)
  9 5   (9 5에 ×, 4 1)
```

48+7

```
  4 8
+   7
  5 4   (4에 ×, 5)
```


14쪽 · 15쪽

4일 벌레 먹은 덧셈 세로식과 가로식에서 없어진 수 □를 찾아봐.

월 일

✚ 빈 곳에 알맞은 수를 쓰세요.

숫자는 맛있어.

```
  2 1          4 [9]        [6] 9
+  [4]       +   7        +    5
  2 5         [5] 6         7  4
```

이번에는 2개 먹었어.

```
  8 [6]        3  8
+    6       +   [9]
  9  2        [4] 7
```

```
  7 [1]       [2] 6         5  7
+    5       +    8       +   [6]
 [7] 6         3 [4]        6  3
```

✚ 빈칸에 알맞은 수를 쓰세요.

65 + [8] = 73　　[2]8 + 4 = 32

[3]6 + 9 = 4[5]　　4[7] + 6 = [5]3

□가 있는 가로식은 □가 있는 세로식으로 바꾸면 쉬워.

```
4□+7=□2  ➡    4□
              +  7
               □2
```

✚ 수 카드 3장을 한 번씩 모두 사용하여 세로식을 완성하세요.

5 3 7	6 2 5	7 4 9
예 [3][5] + [7] = 4 2	예 [5][2] + [6] = 5 8	예 [7][4] + [9] = 8 3

5일 일의 자리 수의 합을 보고 계산하기 이번에는 십의 자리부터 답을 써 보자.

✚ 일의 자리 수의 합을 보고 십의 자리부터 계산을 하세요.

일의 자리 수의 합이 10보다 작은 경우

$42 + 5 = \boxed{4\ 7}$

② 2+5의 일의 자리 수

$46 + 7 = \boxed{5\ 3}$

$74 + 6 = \boxed{80}$

$82 + 5 = \boxed{87}$

$33 + 6 = \boxed{39}$

일의 자리 수의 합이 10 또는 10보다 큰 경우

$59 + 4 = \boxed{6\ 3}$

② 9+4의 일의 자리 수

$35 + 3 = \boxed{3\ 8}$

$62 + 9 = \boxed{71}$

$26 + 8 = \boxed{34}$

$68 + 4 = \boxed{72}$

✚ 올바른 계산 결과를 따라 알맞은 길을 그리세요.

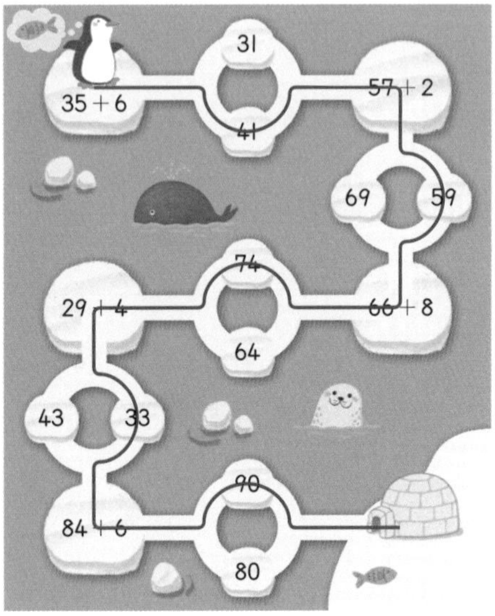

✏ 확인 학습

✚ 덧셈을 하세요.

$36 + 8 = \boxed{44}$ $73 + 4 = \boxed{77}$

$87 + 5 = \boxed{92}$ $51 + 9 = \boxed{60}$

✚ 덧셈을 하세요.

$$
\begin{array}{r}
\overset{1}{1}\ 7 \\
+\quad 8 \\
\hline
2\ 5
\end{array}
\qquad
\begin{array}{r}
\overset{1}{6}\ 3 \\
+\quad 7 \\
\hline
7\ 0
\end{array}
\qquad
\begin{array}{r}
\overset{1}{3}\ 9 \\
+\quad 4 \\
\hline
4\ 3
\end{array}
$$

✚ 빈 곳에 알맞은 수를 쓰세요.

5 \boxed{4}
+ 2
5 6

6 5
+ 9
7 4

7 7
+ 6
8 \boxed{3}

1주

2주: 받아내림 있는 (두 자리 수)- (한 자리 수)

20쪽 · 21쪽

1일 (몇십)-(몇)
일의 자리 수끼리 뺄 수 없으면 십의 자리에서 10을 받아내려 빼.

월 일

✚ 동전을 /으로 지워 뺄셈을 하세요.

30 6 = 24

10원짜리 1개는 1원짜리 10개로 바꿀 수 있어.

10원에서 6원을 뺀 후 나머지 20원을 더하면 24원이야.

십 모형 1개를 일 모형 10개로 바꾸는 것을 받아내림이라고 해.

⑩ ➡ ①①①①① ①①①①①

20 − 3 = 17

50 − 7 = 43

✚ 앞수를 몇십과 10으로 갈라 뺄셈을 하세요.

40 − 8 = 32 (30 10, 2)

60 − 4 = 56 (50 10, 6)

50 − 2 = 48 (40 10)

80 − 5 = 75 (70 10)

✚ 빈칸에 알맞은 수를 쓰세요.

일의 자리 수가 0인 뺄셈이야.

0에서 뺄 수 없으니까 받아내림한 10에서 빼야 해.

십의 자리 수는 1 작아져.

20 − 5 = 15, 20 − 9 = 11

70 − 8 = 62, 70 − 4 = 66

40 − 9 = 31, 40 − 2 = 38

60 − 4 = 56, 60 − 7 = 53

20 2주 · 21

22쪽 · 23쪽

2일 받아내림 있는 (몇십몇)-(몇)
이번에도 일의 자리에서 뺄 수 없어.
앞수를 10과 어떤 수로 가른 후 10에서 뒷수를 빼.

월 일

✚ 앞수를 몇십몇과 10으로 갈라 뺄셈을 하세요.

52를 10과 42로 가른 후 10에서 9를 빼.

10에서 9를 뺀 수와 나머지 가른 수 42를 더해.

52 − 9 = 43 (42 10, 1)

34 − 5 = 29 (24 10, 5)

21 − 7 = 14 (11 10, 3)

75 − 8 = 67 (65 10)

54 − 6 = 48 (44 10)

✚ 선으로 이어진 두 수의 차를 아래에 쓰세요.

31, 8 → 23; 23, 7 → 16

83, 6 → 77; 9, 77 → 68

두 수의 차는 큰 수에서 작은 수를 뺀 값이야.

(두 수의 차)=(큰 수)−(작은 수)

✚ 지갑에 남은 돈은 얼마일까요?

23원 → 18 원

61원 → 54 원

22 2주 · 23

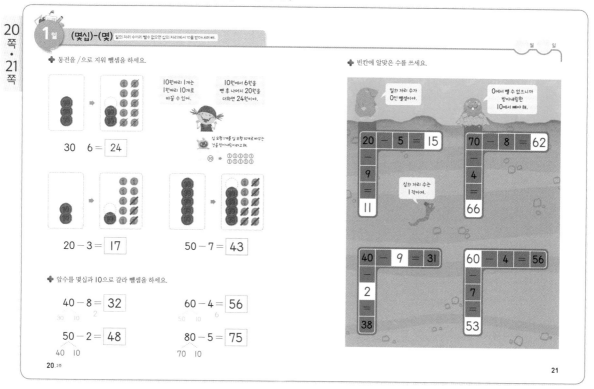

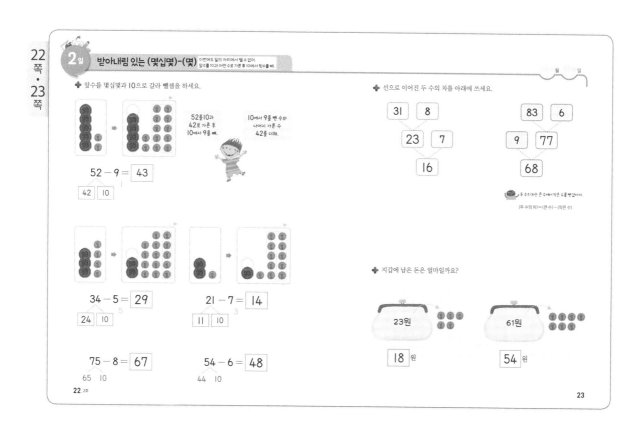

정답

24쪽 · 25쪽

3일 세로셈 자리를 맞추어 세로로 뺄셈을 하면 훨씬 쉬워.

월 일

✚ 세로셈으로 뺄셈을 하세요.

43 − 8 = □	➡ 3 10 / 4̸3 − 8 = □□	➡ 3 10 / 4̸3 − 8 = □5	➡ 3 10 / 4̸3 − 8 = 35
	① 일의 자리 수끼리 뺄 수 없으면 십의 자리에서 10을 받아내려서 계산해요.	② 받아내림한 10에서 일의 자리 수를 빼고 남은 일의 자리 수와 더해요.	③ 일의 자리로 받아내림한 1을 십의 자리 수에서 빼요.

[2][10] 3̸5 − 7 = [2 8]	[4][10] 5̸4 − 9 = [4 5]	[7][10] 8̸6 − 8 = [7 8]

십의 자리에서 받아내림한 수 1도 꼭 빼야 해.

10 / 52 − 9 = 53 (×)	4 10 / 5̸2 − 9 = 43 (○)

8 10 / 9̸2 − 6 = 86	3 10 / 4̸1 − 7 = 34	5 10 / 6̸0 − 5 = 55

✚ 지도에 있는 뺄셈식의 계산 결과를 아래쪽 땅에서 모두 찾아 색칠하세요.

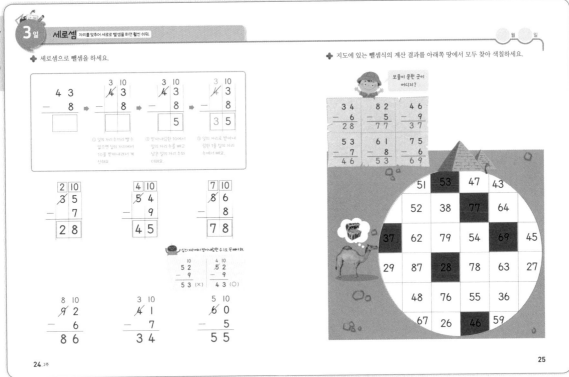

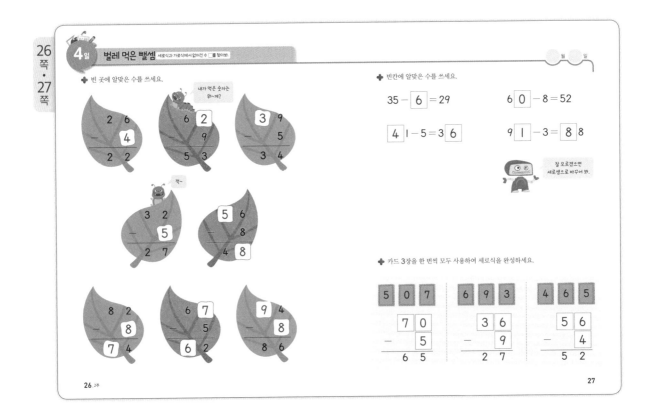

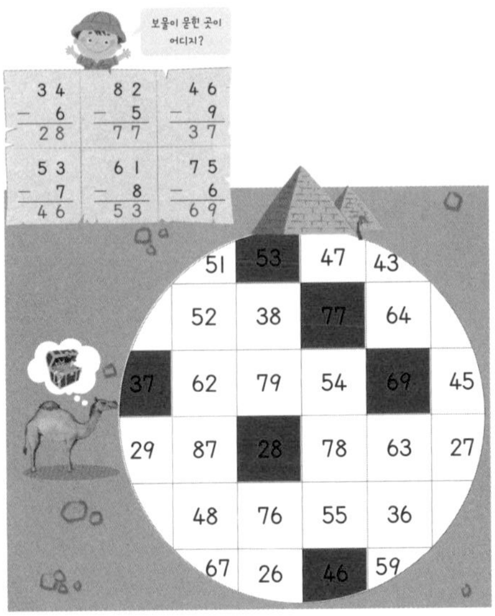

26쪽 · 27쪽

4일 벌레 먹은 뺄셈 세로식과 가로식에서 없어진 수 □를 찾아봐.

월 일

✚ 빈 곳에 알맞은 수를 쓰세요.

내가 먹은 숫자는 뭐~게?

26 − [4] = 22	6[2] − 9 = 53	[3]9 − 5 = 34
32 − [5] = 27	[5]6 − 8 = 4[8]	
82 − [8] = [7]4	6[7] − 5 = [6]2	[9]4 − [8] = 86

꺽~

✚ 빈칸에 알맞은 수를 쓰세요.

35 − [6] = 29

6[0] − 8 = 52

[4]1 − 5 = 3[6]

9[1] − 3 = [8]8

잘 모르겠으면 세로셈으로 바꾸어 봐.

✚ 카드 3장을 한 번씩 모두 사용하여 세로식을 완성하세요.

카드 5, 0, 7	카드 6, 9, 3	카드 4, 6, 5
[7][0] − [5] = 65	[3][6] − [9] = 27	[5][6] − [4] = 52

5일 일의 자리 수의 크기를 비교하여 계산하기

이번에는 십의 자리부터 답을 써 봐.

월 일

✚ 두 수의 일의 자리 수의 크기를 비교하고, 십의 자리부터 계산하세요.

앞수의 일의 자리 수가 큰 경우

$$36 - 4 = \boxed{3\ 2}$$

$$27 - 8 = \boxed{1\ 9}$$

$$52 - 6 = \boxed{46}$$

뒷수의 일의 자리 수가 큰 경우

$$36 - 9 = \boxed{2\ 7}$$

$$73 - 2 = \boxed{7\ 1}$$

$$91 - 3 = \boxed{88}$$

✚ 뺄셈을 하세요.

45
- -4 → 41
- -5 → 40
- -6 → 39

94
- -7 → 87
- -3 → 91
- -9 → 85

✚ 가장 큰 수와 가장 작은 수의 차를 빈칸에 쓰세요.

$\boxed{56}$

가장 큰 수는 62, 가장 작은 수는 6이야.

$62 - 6 = 56$

$\boxed{75}$

$80 - 5 = 75$

$\boxed{51}$

$55 - 4 = 51$

$\boxed{89}$

$94 - 5 = 89$

✏ 확인 학습

✚ 뺄셈을 하세요.

$$60 - 2 = \boxed{58}$$

$$23 - 8 = \boxed{15}$$

$$37 - 4 = \boxed{33}$$

$$84 - 7 = \boxed{77}$$

✚ 뺄셈을 하세요.

$$\begin{array}{r} 8\ 10 \\ \cancel{9}\ 2 \\ -\quad 6 \\ \hline 8\ 6 \end{array}$$

$$\begin{array}{r} 3\ 10 \\ \cancel{4}\ 5 \\ -\quad 7 \\ \hline 3\ 8 \end{array}$$

$$\begin{array}{r} 5\ 10 \\ \cancel{6}\ 1 \\ -\quad 5 \\ \hline 5\ 6 \end{array}$$

✚ 빈 곳에 알맞은 수를 쓰세요.

2 7
− 6
2 1

6 3
9
5 4

4 2
5
3 7

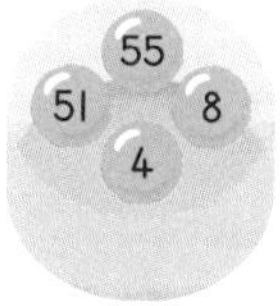

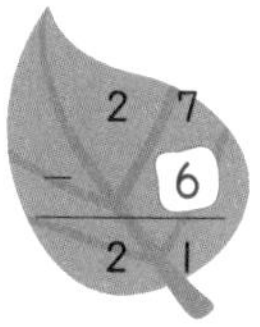

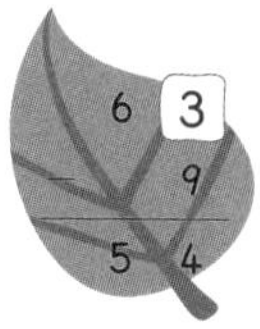

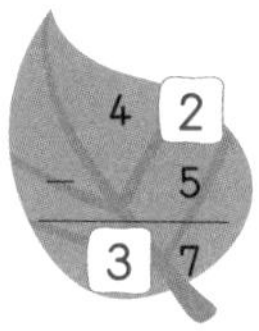

2주

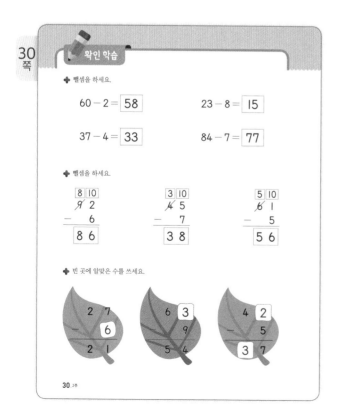

정답

3주: 간단하게 계산하기

32쪽 · 33쪽

1일 10 만들어 더하기 는 뒷수를 10으로 만들어 더하는 방법이야.

월 일

✤ 뒷수를 10으로 만들어 덧셈을 하세요.

27 + 9 = [37] − 1 (10, −1) = [36]

9개 10개 1개

9를 더하는 것은 10을 더한 다음 1을 빼는 것과 같아.

56 + 9 = [66] − 1 (10, −1) = [65]

74 + 8 = [84] − 2 (10, −2) = [82]

24 + 7 = [31] (10, 3)

35 + 8 = [43] (10, 2)

67 + 9 = [76] (10, −1)

86 + 7 = [93] (10, −3)

✤ 이웃한 두 수의 합을 가운데 빈칸에 쓰세요.

9, 26, 53, 8 → [35] (26+9), [62], [34], [61]

8과 9를 10으로 만들어 간단히 계산해.

✤ 빈칸에 알맞은 수를 쓰세요.

[37] +9 → [46]; 37 +10 → [47] −1 → 46

[54] +8 → [62]; 54 +10 → [64] −2 → 62

34쪽 · 35쪽

2일 몇십 만들어 더하기 는 앞수를 몇십으로 만들어 더하는 방법이야.

월 일

✤ 앞수를 몇십으로 만들어 덧셈을 하세요.

29 + 5 = [34]; (+1, −1) [30] + [4] = [34]

29는 30에 가까우니까 29에 1을 더해.

계산 결과가 변하지 않으려면 더한 수만큼 뒷수에서 빼줘야 해.

47 + 5 = [52]; (+3, 3) [50] + [2] = [52]

38 + 7 = [45]; (+2, 2) [40] + [5] = [45]

68 + 4 = [72] (70, 2)

49 + 6 = [55] (50, 5)

87 + 5 = [92] (90, 2)

58 + 3 = [61] (60, 1)

✤ 관계있는 것끼리 선으로 이으세요.

- 59 + 6 — 60 + 5 — 65
- 48 + 5 — 50 + 3 — 53
- 27 + 6 — 30 + 3 — 33
- 58 + 4 — 60 + 2 — 62

앞수를 몇십으로 만들어 계산해.

어느 덧셈이 더 쉬워?

38+6 40+4

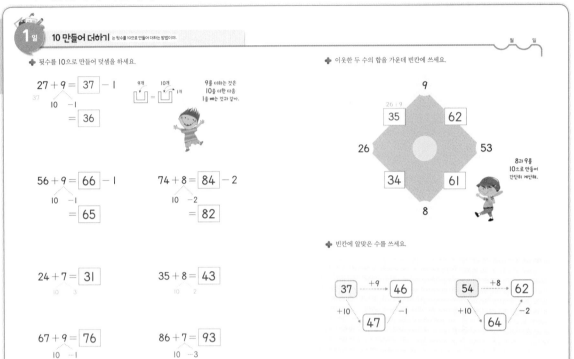

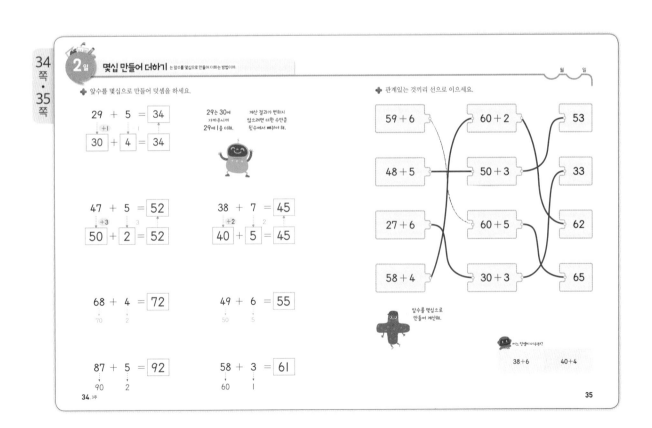

10 만들어 빼기 는 뒷수를 10으로 만들어 빼는 방법이야.

♣ 뒷수를 10으로 만들어 뺄셈을 하세요.

$$42 - 9 = \boxed{32} + 1$$
$$-10 \quad +1$$
$$= \boxed{33}$$

9를 빼는 것은 10을 뺀 다음 1을 더하는 것과 같아.

$$36 - 9 = \boxed{26} + 1$$
$$-10 \quad +1$$
$$= \boxed{27}$$

$$24 - 8 = \boxed{14} + 2$$
$$-10 \quad +2$$
$$= \boxed{16}$$

8을 빼는 것은 10을 뺀 다음 2를 더하는 것과 같아.

$$52 - 7 = \boxed{45}$$
$$-10 \quad 3$$

$$97 - 8 = \boxed{89}$$
$$-10 \quad 2$$

$$67 - 9 = \boxed{58}$$
$$-10 \quad +1$$

$$82 - 7 = \boxed{75}$$
$$-10 \quad +3$$

36 ·3주

♣ 주어진 도형이 나타내는 수를 찾아 뺄셈을 하세요.

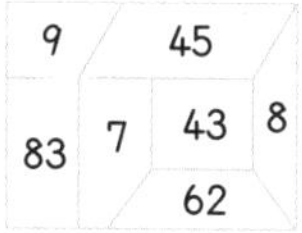

$$\square - \square = \boxed{75}$$
83 − 8 = 75

$$\square - \square = \boxed{36}$$
45 − 9 = 36

$$\square - \square = \boxed{55}$$
62 − 7 = 55

♣ 빈칸에 알맞은 수를 쓰세요.

$$\boxed{43} \xrightarrow{-9} \boxed{34}$$
$$-10 \searrow \boxed{33} \nearrow +1$$

$$\boxed{56} \xrightarrow{-8} \boxed{48}$$
$$-10 \searrow \boxed{46} \nearrow +2$$

37

 몇십 만들어 빼기 는 앞수를 몇십으로 만들어 빼는 방법이야.

♣ 앞수를 몇십으로 만들어 뺄셈을 하세요.

$$32 - 5 = \boxed{27}$$
$$\boxed{30} - \boxed{3} = \boxed{27}$$

32는 30에 가까우니까 32에서 2를 빼.

뺄셈에서 계산 결과가 변하지 않으려면 뺀 수만큼 뒷수에서도 빼야 해.

$$21 - 3 = \boxed{18}$$
$$\boxed{20} - \boxed{2} = \boxed{18}$$

$$54 - 5 = \boxed{49}$$
$$\boxed{50} - \boxed{1} = \boxed{49}$$

$$62 - 4 = \boxed{58}$$
60   2

$$41 - 5 = \boxed{36}$$
40   4

$$83 - 6 = \boxed{77}$$
80   3

$$92 - 7 = \boxed{85}$$
90   5

38 ·3주

♣ 계산 결과에 해당하는 글자를 찾아 빈칸에 알맞게 쓰세요.

$$23 - 6 = \boxed{17}$$ 아
$$61 - 3 = \boxed{58}$$ 가
$$34 - 5 = \boxed{29}$$ 깔
$$72 - 7 = \boxed{65}$$ 내
$$43 - 5 = \boxed{38}$$ 색

$$33 - 5 = \boxed{28}$$ 는
$$82 - 6 = \boxed{76}$$ 좋
$$51 - 4 = \boxed{47}$$ 하
$$62 - 3 = \boxed{59}$$ 카

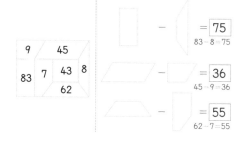

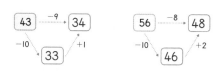

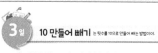

65	58	47	17	59	76	38	29	28
내	가	좋	아	하	는	색	깔	은

?

어느 뺄셈이 더 쉬워?

62 − 7   60 − 5

정답

40쪽 · 41쪽

5일 (두 자리 수)±(한 자리 수) 연습 으로 덧셈, 뺄셈 실력을 높여 보자.

월 일

✚ 계산을 하여 □ 안에 알맞은 수를 쓰세요.

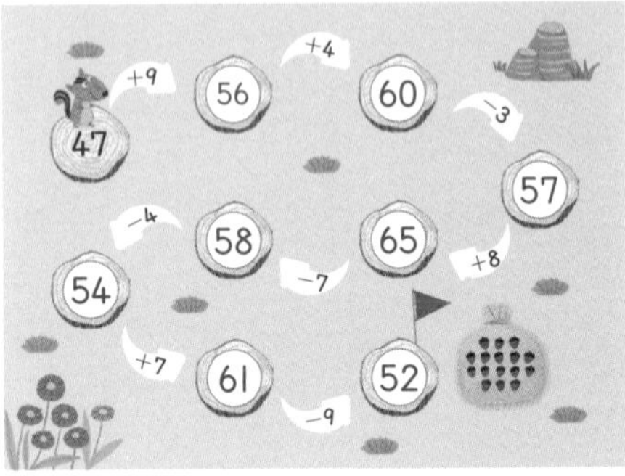

✚ 빈칸에 알맞은 수를 쓰세요.

43 − 6 = 40 − [3]
= [37]

94 − 6 = 90 − [2]
= [88]

✚ 물음에 차례로 답하세요.

42쪽

확인 학습

✚ 뒷수를 10으로 만들어 계산을 하세요.

26 + 9 = [36] − 1
(9: 10, −1)
= [35]

45 − 8 = [35] + 2
(8: −10, +2)
= [37]

✚ 앞수를 몇십으로 만들어 계산을 하세요.

38 + 5 = [43]
(+2, −2)
[40] + [3] = [43]

63 − 4 = [59]
(−3, −3)
[60] − [1] = [59]

✚ 계산을 하여 ○ 안에 알맞은 수를 쓰세요.

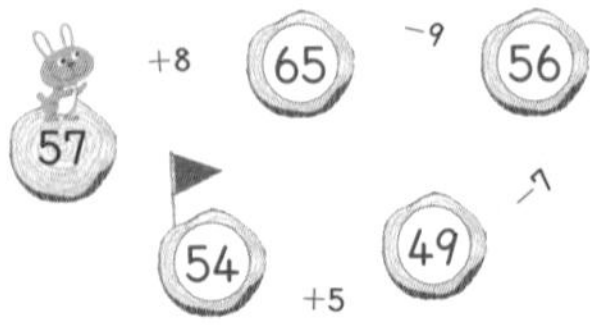

3주

4주: □ 구하기, 세 수의 계산

44쪽 · 45쪽

1일 □가 있는 덧셈 양팔 저울을 보고 □가 있는 덧셈을 이해해 보자.

월 일

✚ □ 안에 알맞은 수를 쓰세요.

27 + [8] = 35

양팔 저울을 보고 여러 가지 식을 만들 수 있어.

27+□=35
35−□=27
35−27=□

15 + [6] = 21

68 + [4] = 72

✚ 수 카드 6장을 한 번씩 모두 사용하여 합이 43이 되는 식 3개를 만드세요.

7	35	9
34	8	36

[34] + [9] = 43

[35] + [8] = 43

[36] + [7] = 43

✚ 빈칸에 알맞은 수를 쓰세요.

45	+	6	=	51
+				+
8				9
=				=
53	+	7	=	60

잠깐만요!

68	+	6	=	74
+				+
5				8
=				=
73	+	9	=	82

46쪽 · 47쪽

2일 □가 있는 뺄셈 수직선을 보고 □가 있는 뺄셈을 이해해 보자.

월 일

✚ □ 안에 알맞은 수를 쓰세요.

32
[4] 28

32 − [4] = 28

수직선을 보고 여러 가지 식을 만들 수 있어.

□+28=32
32−□=28
32−28=□

53
[6] 47

53 − [6] = 47

91
[9] 82

91 − [9] = 82

✚ 빈칸에 알맞은 수를 쓰세요.

43 − [5] = 38

[64] − 6 = 58

[70] − 7 = 63

82 − [7] = 75

✚ 두 수의 차가 가장 오른쪽 수가 되도록 세 수를 차례로 선으로 이으세요.

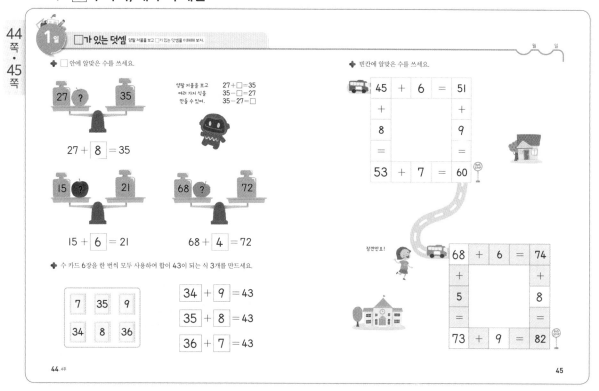

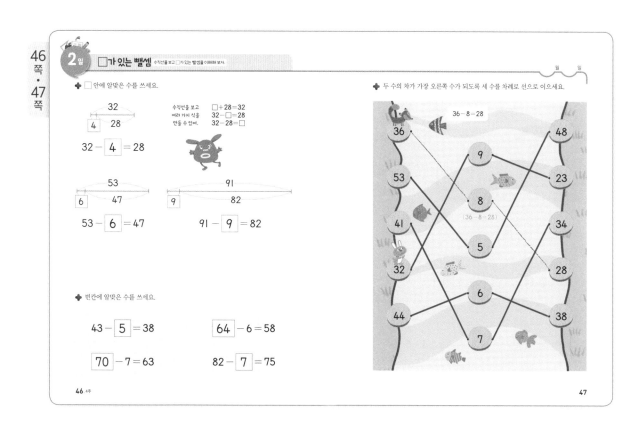

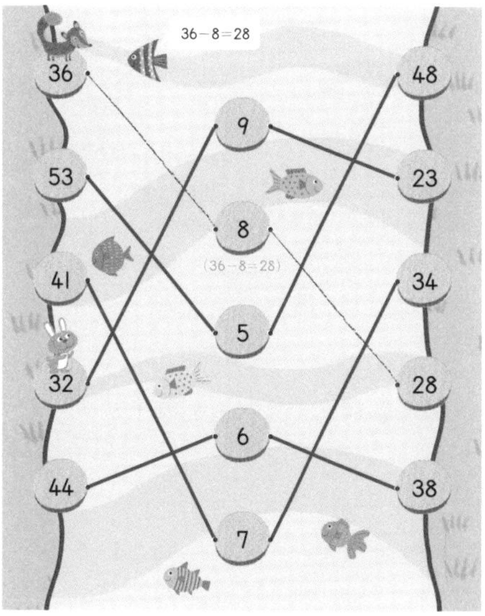

3일 세 수의 계산 앞에서부터 차례로 계산해 봐.

월 일

➜ 세 수의 계산을 하세요.

$17 + 5 + 8 = \boxed{30}$
$\boxed{22}$
$\boxed{30}$

$34 + 9 - 2 = \boxed{41}$
$\boxed{43}$
$\boxed{41}$

$52 - 7 + 3 = \boxed{48}$
$\boxed{45}$
$\boxed{48}$

$73 - 8 - 9 = \boxed{56}$
$\boxed{65}$
$\boxed{56}$

➜ 계산 결과가 옳은 것을 모두 ○표 하세요.

$43 + 7 - 5 = 55$ 　45

$37 - 8 - 9 = 26$ 　20

$68 + ⑦ + 6 = 81$

$54 - ⑥ - 3 = 45$

➜ 사다리 타기를 하여 빈칸에 알맞은 수를 쓰세요.

줄을 타고 내려가 다가 가로줄을 만나면 줄을 바꿔.

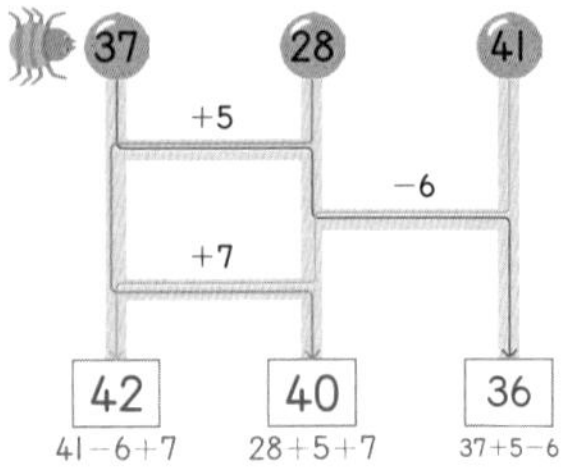

37　28　41
+5
　　-6
+7

$\boxed{42}$　$\boxed{40}$　$\boxed{36}$
$41-6+7$　$28+5+7$　$37+5-6$

위로는 올라갈 수 없어.

54　73　86
　　-9
-8
+7

$\boxed{69}$　$\boxed{71}$　$\boxed{53}$
$86-9-8$　$73-9+7$　$54-8+7$

48 .4주　　　　49

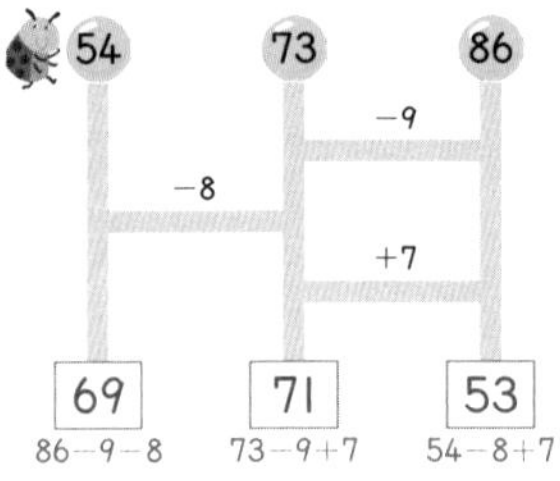

 4일 더하고 빼기 세 수의 계산에서 뒤의 두 수부터 계산하면 편리해요.

월 일

➜ 세 수의 계산을 뒤의 두 수부터 간단히 하세요.

 4개를 더하고 3개를 빼는 것은 1개를 더하는 것과 같아.

 4개를 더하고 7개를 빼는 것은 3개를 빼는 것과 같아.

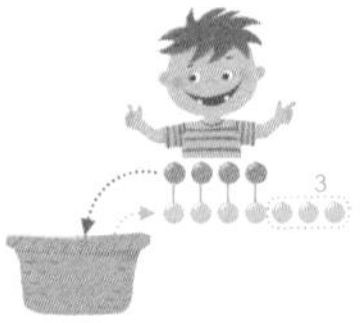

$17 + 4 - 3$
$= 17 + \boxed{1} = \boxed{18}$

$68 + 4 - 7$
$= 68 - \boxed{3} = \boxed{65}$

$42 + 9 - 4$
$= 42 + \boxed{5} = \boxed{47}$

$35 + 7 - 9$
$= 35 - \boxed{2} = \boxed{33}$

$65 + 6 - 7$
$= 65 - \boxed{1} = \boxed{64}$

$76 + 8 - 5$
$= 76 + \boxed{3} = \boxed{79}$

➜ 수 카드 2장을 빈칸에 알맞게 넣어 식을 완성하세요.

 3　8

$25 + \boxed{8} - \boxed{3} = 30$

7　4

$78 + \boxed{7} - \boxed{4} = 81$

3　5

$63 + \boxed{3} - \boxed{5} = 61$

9　1

$46 + \boxed{1} - \boxed{9} = 38$

더하는 수가 더 크면, 빼는 수가 더 크면 살펴요.

$○ + △ - □$　$△ > □$ (더 더해요)
　　　　　　$△ < □$ (더 빼요)

➜ 빈 곳에 알맞은 수를 쓰세요.

$\boxed{41}$
+6　　-9
$\boxed{35}$ ⟶ $\boxed{32}$
　-3

$\boxed{92}$
+5　　-4
$\boxed{87}$ ⟶ $\boxed{88}$
　+①

50 .4주　　　　51

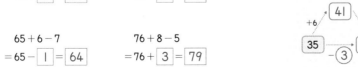

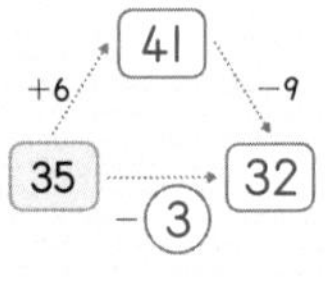

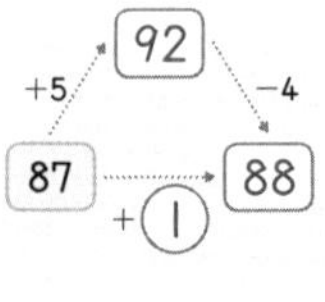

52쪽 · 53쪽

5일 빼고 더하기 도 뒤의 두 수부터 먼저 계산해 볼래?

월 일

✚ 세 수의 계산을 뒤의 두 수부터 간단히 하세요.

3개를 빼고 2개를 더하는 것은 1개를 빼는 것과 같아.

$32-3+2$

$=32-\boxed{1}=\boxed{31}$

3개를 빼고 5개를 더하는 것은 2개를 더하는 것과 같아.

$41-3+5$

$=41+\boxed{2}=\boxed{43}$

✚ 빈칸에 알맞은 수를 넣어 세 수의 계산을 간단히 하세요.

$34-5+8=34+\boxed{3}=\boxed{37}$

$51-6+4=51-\boxed{2}=\boxed{49}$

$42-8+9=42+\boxed{1}=\boxed{43}$

빼는 수가 더 큰지, 더하는 수가 더 큰지 살펴봐.

○−△+□ → △>□ (더 빼요) / △<□ (더 더해요)

✚ 계산에 알맞은 길을 그리세요.

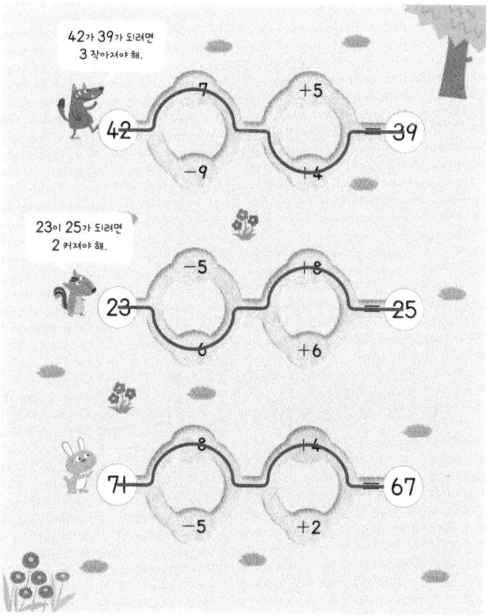

54쪽

확인 학습

✚ 빈칸에 알맞은 수를 쓰세요.

$35+\boxed{6}=41$ $\boxed{3}+79=82$

$61-\boxed{5}=56$ $\boxed{50}-7=43$

✚ 세 수의 계산을 하세요.

$26+6-8=\boxed{24}$ ($26+6=\boxed{32}$, $32-8=\boxed{24}$)

$42+3-6=\boxed{39}$ ($42+3=\boxed{45}$, $45-6=\boxed{39}$)

✚ 빈칸에 알맞은 수를 넣어 세 수의 계산을 간단히 하세요.

$39+4-7=39-\boxed{3}=\boxed{36}$

$52-7+8=52+\boxed{1}=\boxed{53}$

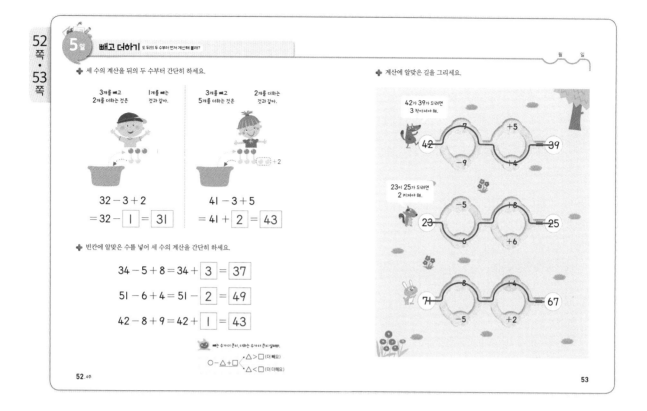

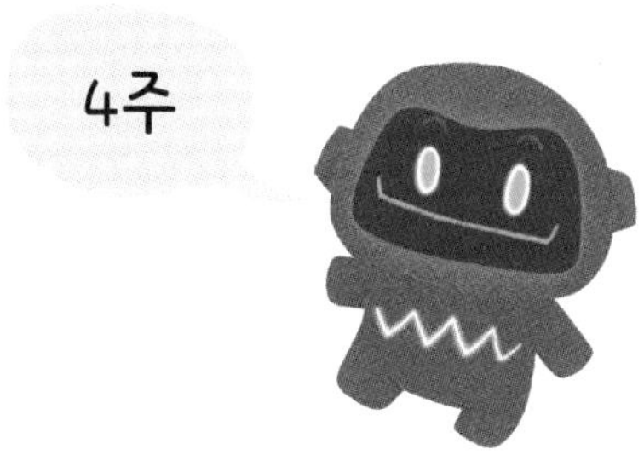

마무리 평가

56 쪽 · 57 쪽

1회 마무리 평가

제한 시간: 5분 | 맞은 개수: /14개

✏️ 덧셈을 하세요.

① 58 + 2 = 60

② 16 + 4 = 20

③ 35 + 5 = 40

④ 83 + 7 = 90

✏️ 뒷수를 10으로 만들어 덧셈을 하세요.

⑨ 46 + 9 = 56 − 1
   10 −1
   = 55

⑩ 75 − 8 = 65 + 2
   −10 +2
   = 67

✏️ 빈칸에 알맞은 수를 쓰세요.

⑤ 64 − 8 = 56

⑥
| 64 | − | 8 | = | 56 |
| − |
| 7 |
| = |
| 57 |

⑦
| 72 | − | 9 | = | 63 |
| − |
| 7 |
| = |
⑧ | 65 |

✏️ 빈칸에 알맞은 수를 쓰세요.

⑪
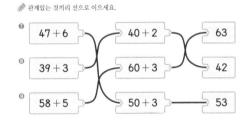

79	+	7	=	86
+				+
5				4
=				=
84	+	6	=	90

⑫ ⑬ ⑭

56 마무리 평가

57

58 쪽 · 59 쪽

2회 마무리 평가

제한 시간: 5분 | 맞은 개수: /13개

✏️ 앞수와 더하여 몇십이 되도록 뒷수를 갈라 덧셈을 하세요.

① 37 + 5 = 40 + 2
   40
   3 2
   = 42

② 85 + 8 = 90 + 3
   90
   5 3
   = 93

✏️ 관계있는 것끼리 선으로 이으세요.

⑦ 47 + 6 ── 40 + 2 ── 63

⑧ 39 + 3 ── 60 + 3 ── 42

⑨ 58 + 5 ── 50 + 3 ── 53

✏️ 선으로 이어진 두 수의 차를 아래에 쓰세요.

③
| 35 | 9 |
| 26 | 5 |
④ 21

⑤
| 73 | 6 |
| 8 | 67 |
⑥ 59

✏️ 빈칸에 알맞은 수를 쓰세요.

⑩ 52 − 9 = 43

⑪ 84 − 7 = 77

⑫ 40 − 5 = 35

⑬ 72 − 4 = 68

58 마무리 평가

59

3회 마무리 평가

세로셈으로 덧셈을 하세요.

❶
```
  1
  6 4
+   7
─────
  7 1
```

❷
```
  1
  4 8
+   6
─────
  5 4
```

❸
```
  1
  5 7
+   9
─────
  6 6
```

뒷수를 10으로 만들어 뺄셈을 하세요.

❼ $36 - 9 = \boxed{26} + 1$
  $-10 \quad +1$
  $= \boxed{27}$

❽ $53 - 8 = \boxed{43} + 2$
  $-10 \quad +2$
  $= \boxed{45}$

세로셈으로 뺄셈을 하세요.

❹
```
  2 10
  3 2
−   5
─────
  2 7
```

❺
```
  6 10
  7 3
−   9
─────
  6 4
```

❻
```
  8 10
  9 4
−   8
─────
  8 6
```

사다리 타기를 하여 빈칸에 알맞은 수를 쓰세요

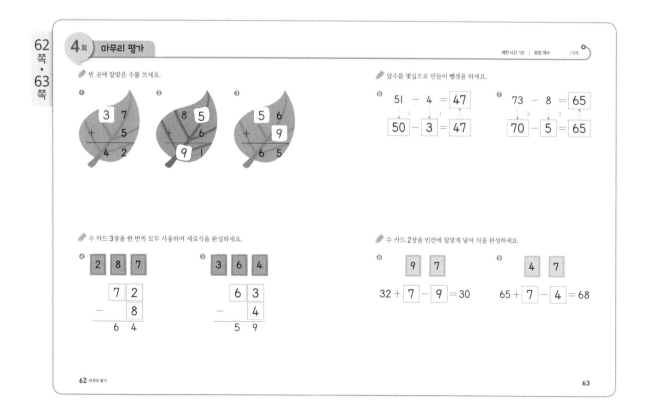

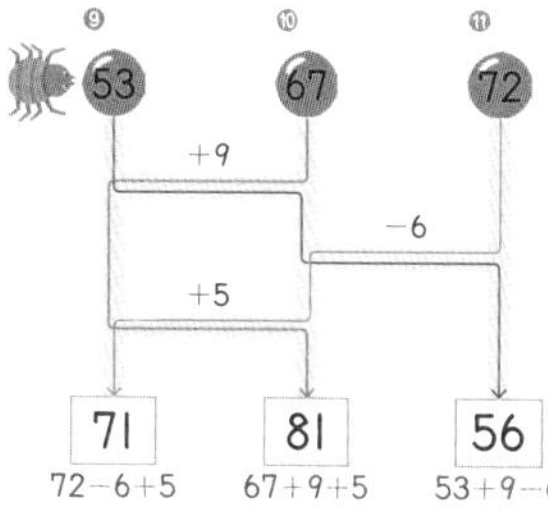

❾ $\boxed{71}$ $72-6+5$
❿ $\boxed{81}$ $67+9+5$
⓫ $\boxed{56}$ $53+9-6$

4회 마무리 평가

빈 곳에 알맞은 수를 쓰세요.

❶
```
  3 7
+   5
─────
  4 2
```

❷
```
  8 5
+   6
─────
  9 1
```

❸
```
  5 6
+   9
─────
  6 5
```

앞수를 몇십으로 만들어 뺄셈을 하세요.

❻ $51 - 4 = \boxed{47}$
  $50 - 3 = \boxed{47}$

❼ $73 - 8 = \boxed{65}$
  $70 - 5 = \boxed{65}$

수 카드 3장을 한 번씩 모두 사용하여 세로식을 완성하세요.

❹ `2` `8` `7`
```
  7 2
−   8
─────
  6 4
```

❺ `3` `6` `4`
```
  6 3
−   4
─────
  5 9
```

수 카드 2장을 빈칸에 알맞게 넣어 식을 완성하세요.

❽ `9` `7`
  $32 + \boxed{7} - \boxed{9} = 30$

❾ `4` `7`
  $65 + \boxed{7} - \boxed{4} = 68$

64쪽·65쪽

5회 마무리 평가

제한 시간: 5분 | 맞은 개수: /10개

✎ 일의 자리 수의 합을 보고 십의 자리부터 계산하세요.

❶ 54 + 3 = 57

❷ 27 + 9 = 36

❸ 36 + 8 = 44

❹ 75 + 4 = 79

✎ 가장 큰 수와 가장 작은 수의 차를 빈칸에 쓰세요.

❺

47

52 − 5 = 47

❻

76

83 − 7 = 76

✎ 물음에 답하세요.

❼ 27보다 6 큰 수는? 33

❽ 83에서 8을 빼면? 75

❾ 63보다 7 작은 수는? 56

✎ 계산에 알맞은 길을 그리세요.

❿
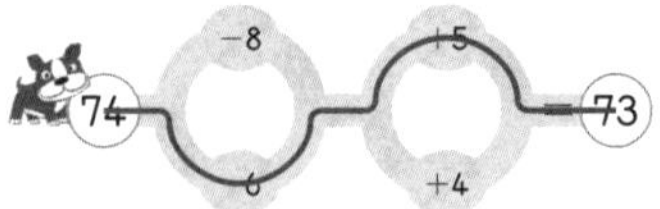

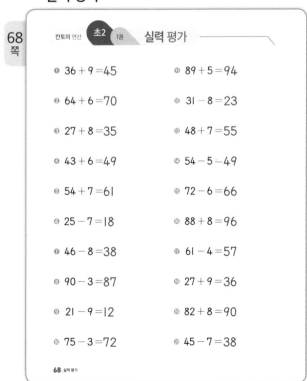

64 마무리 평가 65

실력 평가

68쪽

칸토의 연산 초2 1권 실력 평가

❶ 36 + 9 = 45

❷ 64 + 6 = 70

❸ 27 + 8 = 35

❹ 43 + 6 = 49

❺ 54 + 7 = 61

❻ 25 − 7 = 18

❼ 46 − 8 = 38

❽ 90 − 3 = 87

❾ 21 − 9 = 12

❿ 75 − 3 = 72

⓫ 89 + 5 = 94

⓬ 31 − 8 = 23

⓭ 48 + 7 = 55

⓮ 54 − 5 = 49

⓯ 72 − 6 = 66

⓰ 88 + 8 = 96

⓱ 61 − 4 = 57

⓲ 27 + 9 = 36

⓳ 82 + 8 = 90

⓴ 45 − 7 = 38

68 실력 평가

칸토의 연산

The essence of mathematics lies in its freedom.

수학의 본질은 그 자유로움에 있다.

Georg Cantor(1845 ~ 1918)

모 델 명: 칸토의 연산
제조년월: 2022년 12월 | **제조자명** : ㈜씨투엠에듀
주소 및 전화번호 : 경기도 수원시 장안구 파장로 7(태영빌딩 3층) / 031-548-1191
제조국명: 한국 | **사용연령** : 만 3세 이상

홈페이지 : www.c2medu.co.kr | **지원카페** : cafe.naver.com/fieldsm